D0442062

Gabriele Wohmann
Passau, Gleis 3

Gabriele Wohmann

Passau, Gleis 3

Gedichte

Luchterhand

Lektorat: Klaus Siblewski
Umschlaggestaltung: Kalle Giese, Darmstadt
Herstellung: Ralf-Ingo Steimer

Gesamtherstellung bei der
Druck- und Verlags-Gesellschaft mbH,
Darmstadt
Bindearbeiten:
Klemme & Bleimund GmbH & Co. KG, Bielefeld
ISBN 3-472-86599-7

Passau, Gleis 3

Ein dickes Baby im Geschirr
Ist nachdenklich geworden.
Er ist ja wunderbar
Er ist ja ganz phantastisch!
Ich habe mich geniert
Und doch bei ihm gestanden
Ich war zu früh am Bahnsteig
Und doch zu spät fürs Baby
Es ruckt in seinem Wagen.
Er lacht und lacht tagsüber
Erzählt die ernste müde
Großmutter von dem Baby.
Bei starker Sommerhitze
Trägt dieses helle Baby
Über dem Lachen töricht
Die Fußballmannschaftsmütze
Es lacht und lacht, ist heiter
Doch wenn ich es anschaue
Mir selber nicht ganz traue
Beim tiefen Blick, wird seiner
Vorsichtig, skeptisch, kleiner.
Mir wird, weiß nicht woher
Das Herz von Grund auf schwer.
Jetzt lallt das Baby »Kaiser«
Schon wird das Lallen leiser
Die Beinchen schneckenförmig
Mit Haut, die will ich fassen
Kann nicht vom Anblick lassen
Zwei Rillen in den Ärmchen
So dick sind seine Wangen
Noch größer das Verlangen
Den Hals vom Kind zu drücken

Ach würde das doch glücken
Ach könnt es das doch geben:
Von Anfang an zu leben.
Jetzt weint es ja ein bißchen
Enttäusch sie nicht, die Oma!
Ja Oma, Oma! ruft sie
Und: Kaiser! Sei schön artig
Vielleicht willst du was nuckeln
Erneut im Wagen zuckeln
Was trinkt er? Himbeersaft!
Ach, er verklebt sich leider
Ich denk mir daß er schwitzt
Er ist ja so erhitzt
Warum trägt er die Mütze?
Und das Geschirr aus Leder?
Das stört und wärmt das Kind –
Weiß nicht genau warum mir
Tränen, komische Tränen, Tränen
Gekommen sind.
Doch als der Zug einlief
Als unser beider Zug kam
Da hielt ich es für nicht sehr klug
So sehr ich auch vor Neugier brannte
Zusammen mit dem Baby einzusteigen
Und ich entschied mich meine
Strecke von nun an und für immer
Von ihm abzuzweigen.

Flüchtige Person

Zu bald schon bin ich wieder
Die gewesen
Die weg will, weiterkommen
Der Bewirtung satt geworden
Dann ohne jede Gnade
Von Ungeduld getrieben
Demnächst, es sei versprochen
Man glaubt mir, ist enttäuscht
Das Essen schmeckt auch dort
Noch Kaffee? Gern; genug jetzt
Es gibt kein nächstes Mal
Es gibt den nächsten Zielort
Gastgeber möchten lieber
Kaum essen, trinken, möchten
Viel lieber alles zeigen
Jetzt endlich, gründlich reden
Noch Photos, dann den Garten
Hier sitzen, dort verweilen
Ich war's doch, die verlangte
Auch nach Gesellschaft wirklich
So zwischendurch in Eile
Nur nichts mit Folgen, Dauer
Nur nichts wie weg von allem
Das aufhält, stehenbleibt
Vergänglich sieht das aus
Doch ich bin es, die schreibt:
Zu bald schon bin ich wieder
Für immer weggewesen
Die flüchtige Person
Hat man von mir gelesen.

Der Protest

Das ist doch richtig schandbar
Was denkt der Pfarrer sich
Läßt uns, wir essen Kuchen
Ein Kirchenlied anstimmen
Mitten im Kaffeetrinken
Ich bin's, die sagen möchte
Daß Kaffee Hag Betrug ist
Langweilig sind die Alten
Furchtbar wie steif sie sitzen
Von Enkelkindern manchmal
Aus Trance erwacht erzählen
Ich bin's, die sagen möchte:
Nein, keineswegs auswendig
Kenne ich alle Strophen
Der wie gesalbte Pfarrer
LOBE DEN HERREN singt er
Mit schlechtgelaunter Stimme
Nimmt alles alles übel
Dem Chef, König der Erden
Macht zur Begräbnisfeier
Den 90. Geburtstag
Wär ich nur weggeblieben
Mich macht das hier so ältlich
Mich macht das kränklich, furchtsam
Wenn ich mich revanchiere
Gibt es zu starken Kaffee
Auch Tee, dunkel und bitter
In die Gesellschaft streu ich
Mindestens drei Personen
Die jung sind und nicht singen
Am Kaffeetisch nicht fromm sind
So alt will ich nicht werden

Verkehrt, mich fein zu machen
Das Stehbündchen, die Kette
Die stören mich beim Atmen
Es ist zu eng im Stübchen
Auch überheizt, die Alten
Verzieren ihre Teller
Mit farbigen Tabletten
Schmuckstückmedikamente
Ich will jetzt lügen, sagen:
Nein nein, ich nehme gar nichts
Ich bin zu jung für alles
Ich will hier weg, ganz hastig
Doch Glatteis fällt mir ein
Wär ich nur nicht gekommen
Ich kann nicht mehr allein
Nach Haus, uralt und klein
Sie werden mitgenommen
Zu andern Alten, Frommen
Sperrt trüb der Pfarrer mich
Ins Auto: FÜRCHTE DICH . . .

Die mit der Bitte

Ich will nichts besser können
Ich will nicht klüger sein
Von mir soll man nichts lernen
Geschickter bin ich nicht
Ich fürchte mich wie du
Auch ich bin menschenscheu
Auf Glatteis stürze ich
Ich bin nicht zu beneiden
Ich kann nicht besser leiden.

★

Sei nicht so klein, mach nicht
So kleine arme Schritte
Ich bin die mit der Bitte!

★

Ich will dich nicht beraten
Ich will mein Breichen essen
Ich will daß du mich fütterst
Sieh mich auf allen Vieren
Sperr mich ins Ställchen ein
Ich will die Schwächste sein
Allen Verstand verlieren.
Ich fange ganz von vorne
Bei unserm Anfang an
Nichts kann ich, Mutter, gar nichts
Nun werde wieder groß
Nun werde doch vernünftig
Verstelle dich, sei heiter
Ich will nichts sonst mehr können

Lehr du mich wie man spricht
Zeig mir die Siebensachen
Das Gehen, Greifen, Lachen
Erwachsen bin ich nicht.

Das Rätsel

Schreckliche Unordnung!
Ihr Ausruf von vorhin
Blieb im Zimmer, ach:
Schlechte Laune
Nicht zu verscheuchen
Es war, als hätte sie ihm
DU STÖRENFRIED zugerufen
Oder: ohne dich
Hätte ich längst
Etwas Post erledigt
Du bist doch nicht mitgereist
Um dich zu langweilen, oder?
Wir sind in Kiel, verstanden?
Hochinteressant, du jedenfalls
Hieltest es dafür.
Wie gemein ich bin
Dachte sie, blieb wütend
Auf ihn, hilflos,
Ohne sein Kopfweh.
Was ein Anblick war
Rückte sich als Schmerz
In ihr Bewußtsein:
Seine Sachen
Verstreut in einem Hotelzimmer.
Sie sahen so unterwegs aus
Auch seine Strickjacke
Sein sehr privater Schlafanzug
Seine sehr häuslichen Pantinen
Alles was zu ihm gehörte
Schien die Zuversicht zu verlieren.
Der Aufenthalt verkam
Etwas Empfindliches, das Schöne

War nicht mehr ganz zu retten
Sogar der neue Rasierapparat
Wirkte unprofessionell
Erinnerte an die
Agathenstraße, Parfümerie Kutscher
Und er hatte gestern nachmittag
Alles ganz allein
Zusammensuchen, einpacken müssen
War schließlich verstummt
Fragte nicht mehr
Meinst du, ich sollte ein
Ersatzhemd mitnehmen
Nachdem sie ihn mit dem Satz
Von mir aus brauchst du
Gar keine Krawatte
Abgewiesen und enttäuscht
Aber nicht von der Reise
Abgebracht hatte.
Du Spion, du Spitzel!
Normalerweise und ohne dich
Hätte ich längst schon
Über irgendetwas nachgedacht
Ich hätte ein Selbstgespräch
Geführt, nicht zuletzt über
Dich, dich ganz speziell
Voller Rührung, entsetzlicher Liebe!
Nichts zu lesen eingepackt?
Womit willst du dich denn
Wenn ich beschäftigt bin
Halbwegs vernünftig unterhalten?
So spricht man nicht
Mit der Person
Durch deren Tod
Man absterben wird.
Ohne den Beistand
Ihrer guten Laune

Würde aus seinen Kopfschmerzen
Ein Tumorverdacht
Schon jetzt war
Seine Einsamkeit beim
Kofferpacken
Ihr nie mehr gutzumachendes
Unrecht
Lieber Gott, mach mich fromm
Damit ich Lieber Gott
Beten kann.
Und bitte, gib mir sofort
Eine freundliche Stimme!
Sie sah, endlich aus der Wut
In Traurigkeit entkommen
Wie in Sicherheit gebracht
Daß er so tief gesunken war
Sich in die Rubrik WER WANN WO
Der Hotelkettenzeitschrift
Einzulesen.
Und beinah mild sagte sie
Mit der nicht voll ergriffenen
Göttergabe, Mezzosopran:
Es ist ja nur
Daß, wenn ich allein reise,
Ein Hotelzimmer irgendwie besser aussieht.
Er konnte nun damit anfangen
Weiße Kästchen eines Kreuzworträtsels
Mit ersten Buchstaben zu füllen.

Die kleine schlimme Ewigkeit

Jetzt weiß ich's, Liebes,
Hör zu zagen auf:
Wenn ich dann sterbe, gehst du gleich
In den Frisiersalon, bestell dir dort
Die allerkomplizierteste Versorgung, ja?
Schau dir gut zu bei Angst um dich
Bei Rückgewinnung.
Lenk dich schön ab, sei
Ganz bei dir:
Furchtbar verzweifelt über
Eine kleine falsche Locke
Das falsche Denken auf der Stirn
Bekämpf es, Liebes, ficht es an
Behandle anschließend – noch kommen
Keine Tränen – mit Leitungswasser,
Kamm und Bürste, tu dir weh,
Das Löckchen, die Verkehrtheit
Diesen Mißgriff, Unverstand
Mein Sterben als die Vorform
Die kleine schlimme Ewigkeit
Der Dauerwelle; überanstrengt
Abgelenkt, erledigt viele Stunden
Später
Kannst du dann, du kannst dann gut
Das Weinen, ja das Weinen
Um dich und mich
Um dein Gesicht und mein Gesicht
Vereinen.

Todesbruder

Und was hat mich plötzlich gerührt?
Gerade noch konnte ich doch
Ausgerechnet ihn nicht leiden
– Auch aus Eifersucht, gewiß,
Weil er so einen
Unangefochtenen Eindruck machte
Nicht aus dem Konzept kam
In langen Satzkonstruktionen
Immer gegen mich zu sein schien –
Gerührt hat mich seine Armbanduhr
Die Kamera war so auf ihm
Daß ich, spiegelverkehrt,
Deutlich das Zifferblatt sehen konnte
Und ich las seine Zeit ab:
Es war meine eigene!
Er dort in Österreich
Ich hier in Hessen
Wir lebten unweigerlich
In der selben Minute
Natürlich, dem Anschein nach
Wie alle anderen Leidensgenossen
Aber ihn, der so angstfrei aussah
Ihn und mich, uns verbinden
Die vorweggenommenen 180 Sekunden
Um die wir vorsichtshalber
Unserer Zeit überlegen sein wollen
Wir teilen diese Sorge
Um einen Vorsprung
Er stellt seine Uhr vor
Wie ich! Von jetzt an
Gönnte ich ihm
Seine Meinung, seine Rhetorik

Ha, Todesbruder
Alles Gute für dich!
Verwandten neidet man nichts
Ist vielmehr stolz
Auf vorgetäuschte Talente.
Es wird nicht zu früh sein
Immerhin, wenigstens das nicht,
Wenn wir sterben.

Spielplatz

Abends
Viele Stunden danach
Sah ich das Steinhäufchen wieder
Mitten auf dem Weg
Drei Unkrautbüschel
Und die rötliche Lieblingspflanze.
Wie wichtig es tat
Beim Ansammeln!
Jetzt sieht alles sehr klein aus
Sehr schäbig
Liegt noch da
Andere Leute
Kommen und gehen
Tränen, schnell weinen!
Da war mein Kind noch gut gelaunt
Ich sehe es dem bißchen Zeug an
Das alles war vor der Beleidigung
Kleines Grab
Das schönste und einfachste
Und die komplizierte Beendigung
Von guter Laune
Geröll und Unkraut, winziger
Friedhof mitten auf dem Weg
Der Spielplatz vom Kind.

Fehlermachen

Mein Kind ist weg!
Ich höre
Noch seine Schrittchen, mir
Zur Seite
Es schweigt sich aber aus
Ganz so vergnügt wie vorher
Und eh ich »Schluß jetzt« sagte
Wie noch vor zehn Minuten
Wird nie mein Kind mehr sein
Nie mehr in seinem Leben
Es übertreibt, mein Kindchen
Und müßte wirklich nicht
So bleich und so versteinert
Und schwer gekränkt –
Doch: ganz so
Tödlich beleidigt muß es
Mich meiden, von mir weg
Schaut es von nun an gründlich
Und jegliches Vergnügen
– Es wird noch viele geben –
Wird nie vollkommen sein.
Mein Kind ist weg!
Vergebens
Will ich dorthin zurück
Wo mir sein Glücksgelächter
Sein ungeschicktes Trappeln
Die falsch geklebten Marken
Die schlecht gekehrten Fliesen
Sein kindlicher Moment
Die Sinne angeschärft
Und zum Befehl verdorrt hat:
»Schluß jetzt« und »Ruhe bitte!«

Mein Kind wird oft noch lachen
Doch nie mehr so wie vorher
Vergnügt
Beim Fehlermachen.

Mondfahrt

Abends wenn ich böse war
Brauche ich die Engelschar
Ganz besonders dringend
Wie im Märchen, singend
Sitze ich im Dunkeln
Alle Sterne funkeln
Zwei und zwei sind vier
Engel sind bei mir.

★

Abends wenn ich traurig bin
Schau ich dort zum Himmel hin
Kann denen dann erzählen
Wie mich alle quälen.

★

Meine Opernreise
»Mondfahrt« sing ich leise
Soll mich keiner hören
Leute kann man stören
Meine Engel nicht
In dem blauen Licht.

★

Abends kann ich sehen
Über Wasser gehen
Über Wolken reiten
Bis zum Mond hin gleiten.

★

Abends wenn ich schlafen soll
Bin ich noch ganz kummervoll
Will in meinen Kissen
Daß die Engel wissen
Wie es dazu kam:
Zorn und Schimpfen, Scham.

★

Eltern und die Lehrerin
Wissen nicht wo ich jetzt bin
Abends nie zu kriegen!
Scheint als könnt ich fliegen!
Und nach so viel Strafen
Schrecklich glücklich schlafen.

Der Schönheitsfehler

Endlich mehr Hygiene für die Küche!
Die Hausfrau hielt Umschau
War stolz auf blanke Herdplatten
Und sogar die schwer zugänglichen
Kacheln, das Gewürzregal
Gereinigt
Schöne Entschlußkraft!
Daß sie überhaupt durchgehalten hatte!
Abendabsichten, ach ja
Am Morgen danach
Überzeugten sie so selten.
Eine Küche ist kein Souvenirladen:
Also warf sie jetzt eine
Ansichtskarte aus Rom weg
Trennte sich von
Der Kakaoreklame mit den beiden
Spielenden Kindern drauf.
Die Spülbeckengrube könnte
Für Operationszwecke benutzt werden
So streng saubergewischt
Auf dem Ablaufchrom
Störten nun nicht mehr
Veraltete Wasserspuren.
Als diese Fettspritzer entstanden
Rötlich, mit Tomatenmark vermischt,
War ich guter Dinge, dachte sie,
Vielleicht glücklich
Aber macht es nicht ebenfalls glücklich
Sie zu entfernen, bis zum nächsten Mal,
Sang sie vor sich hin.
Da fand sie
Vorgesehen für den Mülleimer

– Beschluß vom Vorabend –
Den kleinen, lachsroten
Plastiklöffel
Ein Picknick mit ihm
Fiel ihr ein, oh gewiß.
Aber sie hätte ihn trotzdem
Weggeworfen, wäre da nicht
Der Schönheitsfehler gewesen
Wie schief das Löffelchen
Auf der Abschußrampe lag
Es mußte bei irgendwas
Irgendwann aus Versehen
Mitgekocht worden sein.
Oh, diese Krümmung
Der kleine lachsrote Löffel von hinten
Die Wölbung wie ein Hinterköpfchen
Wie ergeben es aussah!
Sie überlegte sich ein
Todsicheres Versteck
Für den nichtsnutzigen
Sehr gealterten
Plastiklöffel.
Und weil das viel Zeit beanspruchte
Ist die Hausfrau
Darüber müde geworden
Hat den Boden nicht mehr aufgewischt
Sich über die stückweise
Verbesserte Küche
Zu freuen vergessen.
Gelohnt hat es sich trotzdem
Würde sie ihrem Mann erzählen.

Der Klügere gibt nach

Beim Aufwachen nachmittags
War er leider sofort wieder
In der furchtbaren Stimmung
Über der er eingeschlafen war.
Alles gegenwärtig
Die Kränkung saß noch
Durch Herbert Helfrichs schlechte Laune
Beim stark verkürzten Morgenspaziergang
Das knappe Geräusch vom Zurückpfiff
Und PFUI zu hören
War er auch nicht gewöhnt –
Er gähnte, er wünschte
Einen mißmutigen Eindruck zu machen
Nachtragend zu sein
Kam einer Bürde gleich
Und doch verband er damit
Auch eine bestimmte Absicht.
Er fand nicht gut an Menschen
Daß sie sich gehen ließen
Man könnte mehr von ihnen erwarten
Menschen sollten ihre besten Freunde
Nicht reinlegen, nicht vor Fremden.
Wahrhaftig, er fand Vertrauensbrüche
Gar nicht gut.
Nun trollte er sich durch
Die Wohnung, die Bibliothek
Mit seinem Stammplatz, die
War ihm gründlich verleidet.
Sah denn Herbert Helfrich
Ihm nicht endlich an
Daß er beleidigt war
Erlöst werden mußte?

Am gräßlichsten störte
Ja schließlich nicht dieser Geruch
Mit dem leider jedesmal
Der Damenbesuch zusammenhing.
Noch auffälliger als er es jetzt tat
Konnte doch nicht einmal
Ein »geprügelter Hund«
Den Kopf hängen lassen
Abziehen, sich abkapseln.
Der Religionswissenschaftler Prof. Dr. Helfrich
Und sein parfümierter weiblicher Gast
Stritten – aber sehr freundschaftlich –
Über diesen Judas, schon wieder.
Besser, die Dame ginge endlich
Und der Professor könnte auf einem
Guten ruhigen Spaziergang mit ihm
Von neuem über sein Judas-Buch sinnieren.
Es war immer dasselbe bei ihm
Immer faßte er als der Erste
Wieder Mut, Zutrauen, renkte ein:
Er hob das rechte Bein an und setzte
Seinen Fuß auf Herbert Helfrichs Unterarm.
Damit gewann er todsicher
Und ging zu Herzen
Im Verein mit seiner Art
Dann aufzublicken.
»Der Klügere gibt nach« würde er denken
Wenn Sprichwörter ihm nicht völlig fremd wären.
Und er überwand sich nun
Zu dieser Geste
Zu stark war sein Wunsch
Zurückzukehren in diese Heimstatt
Der alten Sitten.
Was die Dame sagte
Als Herbert Helfrich »du störst«
Zu ihm sagte

Bedeutete ihm gar nichts:
»Netter Hund«, leere Worte!
Er ist, und das hat er
Manchen Menschen voraus,
Kein Spielverderber, erzählte sein Herr
Dem weiblichen süßlichen Gast.
Und daß er selber sich auf und davon machte
Bekamen sie doch hoffentlich mit
Beim Gespräch über diesen Judas
Und das neue Verständnis
Mit dem sie die Welt verblüffen wollten.

Aus der alten Welt

Und dann sind wir immer
In die Halle »Ausländische Verlage«
Wie zur Erholung gegangen
Wir haben ja damals die Bücher
Vor allem Bildbände
Noch richtig ausführlich betrachtet
Und man kam ins Gespräch
Man hat Freunde getroffen
Zum Restaurantbesuch mittags
Sich verabredet
Auf den Wegen im Freien
Konnte man flanieren.

Er erzählte und erzählte.
Bald käme auch die Automobilmesse dran.
Sie wußte nicht genau
Wen sie vor wem warnen sollte
Er, ihr Mann, stand ihr näher
Die Enkel kamen selten.
Hör auf, Lieber, du weißt doch selber
Wie uns beiden das früher langweilig war
Gründliche Geschichten von alten Leuten!
Die Kinder wollen weg!

Er brach zwar an einer der
Interessantesten Stellen seinen Bericht ab
Doch nur um des häuslichen Friedens willen
Wie sehr diese Arme da, seine Frau, sich täuschte
Er war so jung wie nur eh und je
Ihm hätten diese drei da gern noch
Stundenlang gelauscht!
Aber sie, wie sie eingeschnurrt war!

Merkwürdig und unangenehm
Daß ihm das jetzt gleichzeitig auffiel:
Ihr klein gewordener Mund
Und die Erleichterung auf den Gesichtern
Der Enkel, die tatsächlich viel zu lang
Geblieben waren
Und sein eigenes rechtes, beinah ganz und gar
Lahm gewordenes, schmerzendes Bein.

Göttingen umsteigen

Hinter dem glücklichen Paar her!
Wie harmlos froh die Begrüßung!
Schön phantasielos auch die beherzte Art
Einander zu betrachten
Ganz schnell: Blumen für sie
Er, der Abholer, bekommt einen Kuß
Und ihren Arm in seinen . . .
Sie sind zu einfach herzlich
Um, wenn das Abfragen
Auch bei ihnen beginnt
Auf Argwohn zu kommen.
Ich war bereit, meinen
Anschluß zu verpassen
In der Unterführung hat
Das glückliche Paar
Schon den Eindruck ihrer
Häuslichkeit gemacht
Er hätte alles aufgeräumt
Sie wäre bald gar nicht mehr
Verloren.
Ein alter Mann, Wurst und Wermut im Griff
Stand mir im Weg
Sein Schild DANKE
Ich sah, daß der Mann
Oder die Frau
Vom glücklichen Paar
Dem Bettler etwas ins Mantelfutter warf
Neben seinem Sitzplatz
Und ich wollte ihnen nacheilen
Und sagen: Ich habe ja eben erst
In Manhattan, viel zu viele Arme gesehen
Alle diese Bedürftigen!

Da habe ich Zeit vergeudet
Und die glückliche Frau
Oder
Den glücklichen Mann
Aus den Augen verloren
Und bekam meinen Anschluß
Und bin zu uns beiden
Mann und Frau
Nach Haus gefahren.

Der Nächste, bitte

Ich bin von meinem Weg
Dann aber abgekommen
Uns beiden hinterher
Dir nach, du hast
Dich immer schwerer nur bewegen können
Wir haben mitten im Verkehr
Von Augsburg dauernd
Pausen machen müssen.
Auf dieser Spur von
Damals wollte ich
Strikt bleiben, ich bin leider
Damals niemals gut genug
Gelaunt gewesen.
Erstaunlich daß wir doch
Ganz unvermutet
Die Facharztpraxis
Mit freundlichen Gehilfinnen
Gefunden haben.
Der Orthopäde und das Wartezimmer
Und meine Unterhaltung
Mit dem bayerischen Patienten
Vor dem ich dich verraten habe.
Du warst so wundervoll verschwiegen
In dich gezogen von
Den Ischiasschmerzen.
Ich wollte dann
Das kleine Kaffeehaus
In dem wir mit dem Röntgenbild
Gesessen haben
Auch wiederfinden.
Schneegraphik, dunkelbraune
Baumfiguren

Im Wittelsbacher Park
Die weißen, gegen
Dunkelbraune Wege abgegrenzten
Flächen, kurze Flugbewegungen
Die Rabenkrähen haben
Wie deine glatten schwarzen
Halstabletten ausgesehen.
In meinem Traum hast du mich
Vor einem Zootier, Raubtier
Heute nacht beschützt, die Polizei
Hat die Bevölkerung gewarnt
Das wilde Tier gelblich im Schnee.
Plötzlich noch andere Farben
Die mich von meiner Spur, dem Weg
Uns beiden hinterher
Abgebracht haben:
Den bunten Blumen
Bin ich ungeplant gefolgt
Wo kamen jetzt im Winter
Sommergartenlichter her?
Grabstein für Grabstein las ich
Fremde Inschriften
Ich würde fremden Leuten
Herzlich und unbefangen
Mein Mitgefühl bekunden
Und es wie sie es
Erwarten und gewöhnt sind
Einfach »Beileid« nennen.
Dem Leichenwagen
Mit der Blumenfracht
Kann ich nicht widerstehen
Zaubergefährt, und nun hat es
Geschneit, ich muß ja,
Lieber, kranker Mann,
Den Weg zum zweiten Mal verfehlen
Und weg vom Friedhof

Weg von allem Ernst.
Furchtbar, mich bald darauf
In einem überheizten Kaufhaus
In einer
Umkleidekabine
Mit sehr stark reduzierten
Kleidungsstücken
Wiederzufinden
Bei Eitelkeit und
Gier und Feilschen
Mich in der blauen
Bluse, reiner Seide
In einen warmen Tag
Zu phantasieren
Und Arzt, das Röntgenbild, Geometrie
Der Gräber und der Krähen
Ganz zu vergessen
Habsüchtig und borniert
Und festgehalten
Von nichts als der Entscheidungsnot
In meiner Zelle zwischen
Blau und Braun und Rot.
Wenn ich nicht alle Blusen haben kann
So wußte ich dann
Schön erlösend
Will ich keine haben!
Ich rief so laut ich konnte
Ohne Stimme
Der dort, der Nächste bitte,
Lieber Facharzt, lieber Gott
Und Friedhofskärrner,
Der Nächste ist mein liebster
Damals in Augsburg
Ischiaskranker Mann!

Die Frühstücksamseln

Von da an ging es ihr besser
Ihr Idioten alle, wiederholte sie halblaut
Es geht wieder aufwärts mit mir
Sagte sie, putzte aber nochmals
Zornig neue Tränen weg
Oh verdammt, murmelte sie
Ich muß dagegen sein, ich muß es einfach!
Und sie befürwortete
Schaudernd in diesem kalten Frieden
Ihrer Wohngegend
Sämtliche Raketen, Sprengköpfe – mir egal!
Sie schaute auf die kleine Lücke
Im engmaschigen giftgrünen Netz:
Wie in einer Wartephase beim Friseur
Stand drüben am Zaun der umhüllte Obstbaum.
Milliardenschweres Geschütz, ganz recht!
Waffen, nichts als waffenstarrend, die Welt
Macht nur weiter so, drohte sie
Angestarrt von einer gemeinen kleinen albernen
Luftgewehrmündung.
Alles Quatsch! dachte sie
Warum sollte ich noch eine Minute länger
Gegen den Untergang der Menschheit sein?
Um eines blöden Kirschkompotts willen
Hatten die Nachbarn von gegenüber
Die zwei Amseln – ihre beiden Morgenglocken
Ihre Frühstücksgesellschaft –
Gejagt für den Frieden auf Erden
Und fest entschlossen
Alles im Garten zu ernten
Und abgeknallt, die zwei Amseln
Die ins Gewicht fallen, dachte sie plötzlich.

Regenbogen-Folgen

I
Eine ordentliche und gute Mutter

Das Kind steht am Fenster
Es regnet noch
Schon scheint trotzdem die Sonne
Das muß ja einen Regenbogen ergeben
Wichtige Begrüßung!
So kurz nach der Ankunft
Fangen die Ferien am Meer
Sich zu lohnen an:
Mutter, wie interessant!
Was meinst du, soll ich
Ein Photo machen?
Etwa vom Regenbogen?
Ich habe, sagt die Mutter
Und das hat sie
Mit dem Auspacken zu tun.
Gut, das Kind anzuleiten.
Das gerade eben noch
Lachende, eifrige Kind
Der glückliche kleine Gast
Jetzt wird er einfach
Ganz gewöhnlich etwas mürrisch
Aber nützlich
Und die Polaroid
Stört auf dem Bett
Leg sie dorthin.
Sie stört jetzt sowieso
Im kleinen Hotelzimmer
Stört alles.

Du wirst noch viele Regenbogen
Zu sehen bekommen.
Die Mutter wird diesen Moment
Mit dem schwungvollen Kind
Nicht wieder zu sehen bekommen.
Siehst du, erklärt sie,
Ohne Gelbfilter
Wird nichts Gescheites
Aus komplizierteren Naturabbildungen.
Auch in den Ferien
Kann gelernt werden.

II
Eine nervöse und gute Mutter

Das Kind am Fenster
Wieso steht es da herum
Als gäbe es nichts zu tun
So kurz nach der Ankunft
Das Zimmer ist ja kleiner
Als das Feriengepäck.
Stolz ruft es und aufgeregt:
Mutter, der Regenbogen!
Er fängt schon in den Dünen an
Das gibt es selten!
Alles vom Kind erfunden:
Das splintsteingraue Meer und
Wie es in der aufkommenden Sonne
Blasser und dünner wird
Und diese Mottenflügel
Der durchsichtige Regenbogen.
Am besten, ich mache ein Photo, oder?
Was versprichst du dir davon?
Weißt du nicht mehr, daß ich
Schon auf der Fähre
Dieses schreckliche Kopfweh bekam?
Wohin mit all dem Zeug
Was hast du nur zum Schluß noch
Für unnötigen Kram in die Koffer
Gestopft – ach, jetzt sei
Bitte bloß nicht beleidigt.
Und mit einer Polaroid
Kannst du die Ansichtskarten
Vom Kiosk doch nicht übertreffen.
Ich kann's nicht kommen sehen
Wie ich mich überhaupt
Hier einleben soll

In diesen vier Wänden
Immer mit dem Kind
Und dem Seegetöse
Im hysterischen Wind
Die ganze Welt ein einziges
Übelnehmen
So sonnig
Finde doch gefälligst
Bitte bitte
Noch ein zweites Mal
Deinen verdammten Regenbogen
Lohnend genug für eine Photographie!
Warum nimmst du alles
So leicht übel
Ich bin die mit dem Kopfweh
Komm her, Schatz
Möchte ich dir zurufen
Wie empfindlich wir sind
Wir zwei Armen
Sehnsucht! Nach dem Eifer
Und der Erfinderlaune
Des Kindes
Noch vorhin, ach meine Nerven
Mein Liebling
Es wird nicht mehr
Und zwar nie mehr, hörst du
Ganz genauso wie vor
Fünf Minuten.

III
Nachdem die gute und nervöse Mutter
Lichtenberg gelesen hat

Das Kind
Das am Fenster stand
Beeindruckt von sich selber
Als demjenigen, für den sich
Ein Regenbogen über
Ein Weltmeer wölbte
Das Kind
Wendet sich ab
Von seiner Inszenierung
Und von der Mutter
Es hört sie aber
Während es so tut
Als mache es sich
Am Auslöser der Polaroid
Zu schaffen.
»Das Jammertal der Zeitlichkeit«.
Findet das Kind
Die Zurufe der Mutter
Lästig? Auf jeden Fall:
Zu aufgeregt, zu laut
Vorhin gefiel ihm
Der Lärm, den das Meer macht
Alles zerfällt jetzt
Zu Nebensächlichkeiten, Landschaft
»Es tun mir viele Sachen weh
Die andern nur leid tun«
Ruft die Mutter
Und fixiert den kleinen
Körper, diese Ansicht von hinten
Das Kind sieht wie ein
Gepäckstück aus

Frag mich doch ein zweites Mal!
Finde es wieder nötig!
Dann wollen wir auspacken
Ja, bitte, werde ich antworten
Und aufpassen, nicht zu schreien
Mach eine ganze Kassette
Von Dokumenten
Laß sie ungeschickt ausfallen
Blasse Anblicke
Von allem, was du
Ewig sein lassen willst.
Lach wieder! Komm
Wir wollen
Beim zweiten Versuch
Von vorne anfangen –
Ach, die Wiederholung
Das Rückgängigmachen
Die Tricks
Gegen den Tod
Das Überleben!

IV
Die gute Mutter

Das Kind deutet
Auf den gewöhnlichen
Und erstaunlichen Regenbogen:
Mutter?
Ja, Schätzchen, was ist denn?
Das Kind steht im Weg
Es gibt zu tun
Schau mal, das Meer!
Der Regenbogen!
Soll ich ihn photographieren?
Ja, natürlich,
Antwortet die Mutter.

Verabredung mit dem Vater

Plötzlich vor der Wegbiegung
Tat mir der Vater so leid.
Jetzt müßte er uns entgegen kommen!
Wie gern sähe er uns bei dieser
Albernheit zu, Armer! Hilfe!
Diesmal würde ich sagen:
Oh ja, gern, Vater, wir treffen uns
Im Café Panorama!
Seit acht Jahren
Verpaßt er
In dieser Kurve
Unter den dunkelgrünen Schutzdächern
Vom Eichenwäldchen
Unsere plötzlich gute Laune
Also verpaßt er
Seine Schüler
Die ausnahmsweise ihre Lektion
Die von ihm stammt
Gut gelernt haben: ja, Väterchen
Jetzt ist es so weit, jetzt
Sind wir ganz zufrieden, du siehst es
Ja, wir haben es gut
Ja, wir genießen
Den ganz bestimmten
Ganz unerwarteten
Günstigen Moment
Wir kennen das Zitat
Bewegen uns darin
Werkgetreu
Ja, die kleinen Blitzlichtmomente
Angestrahlt vom Erfinderglück
Sie mehren sich doch, findest du nicht?

Aber sähe er doch zu!
Genösse er doch
Diesen Regenschauer am Spätnachmittag
Und den Erfolg seiner Zöglinge
Er hat uns geliebt, verstehst du?
Im achten Jahr schon
Verfehlt uns der Vater
In dieser Straßenbiegung
Das ist nicht die landschaftlich
Berühmteste Stelle der Insel
Aber mir die liebste
Sieh es dir an
Lieber Vater, wir machen es
Eben richtig
Wie schade um sein Behagen
Ich kenne sein Gesicht
Kurz bevor fest steht
Ob wir für einen seiner Vorschläge
Gut genug gelaunt sind.
Wir sind es! Es steht jetzt gerade
Fest! Vater, wir lachen, hör dir das an!
Elend, keinen beneiden zu können:
Wir leben und halten uns deshalb
Für begünstigt, verglichen mit den Toten.
Nur von hinten und
Auch nicht aus der Nähe
Sah dieser Mann unserem Vater ähnlich.
Das lag aber unter anderem
An diesem Bademantel
Selten sieht man heute noch
Solche Bademäntel
Wie der Vater ihn anhatte
Auch vor acht Jahren
Beim Tod.

Spiegelbild

Zwischen Tür und Angel
Kam es zum Überfall:
Das ist gar nicht das Provisorium
Hier wohne ich wirklich
Und, wie es aussieht, für immer
Mein wechselhaftes Wetter
Dieses Tageslicht
Geblendet
Wollte sie sich abwenden
Von Zank und Streit, aber:
Dieser Kindergram, mich betrifft er
Ich bin nicht meine Nachbarin
Und der da ist gar nicht mein
Erzieher, mein Heimleiter,
Aufseher, vorübergehend
Bin ich gar nicht
Hier engagiert
So vorübergehend allerdings
Wie mein Leben
Ich kann gar nicht
Jederzeit weg
Zum Vater
Unser der du bist im Himmel:
Oh doch, dorthin immer
Aber da vorne
Laufen sie jetzt unglücklich
Den Hügel hinauf
Diese zwei, meine fremden Kinder
Da schimpft einer
Auch nicht glücklich
Mein Mann
Meine Türschwelle, und das ist schon alles

Eines Tages gewesen . . .
Kommt zurück, kommt erst nochmal
Alle wieder zurück
Hierher zu mir
Und in die Diele
Laßt uns
Ehe wir weiter
Und tiefer in diesen Tag geraten
Laßt uns schnell wieder
Gute Freunde sein
Das müssen wir einfach
Hinkriegen
Rief die Frau
Ermutigt vom Blick auf die
Nachbarin
Mit dem hängenden Kopf
Und der Kehrschaufel in der Hand
Unscharf und häßlich
Im staubigen Spiegelbild.

Unsere Polaroid-Zukunft

Mehr reden wollen
Wir ganz und gar nicht
Kaum treffen wir aufeinander
Da beginnen wir
Unsere Haltungen zu photographieren
Wir versenken uns
Andächtig
In diese Zukunft
Fünf Minuten später
Werden wir schon
Die Erinnerung an uns
Sein, aufgewertet vom Schnappschuß.
Kommt in den Garten
Damit auch er bemerkenswert wird
Die Gegenwart ist unansehnlich
Wir wollen vorarbeiten
Wir wollen uns
Augenblicklich
In Andenken verwandeln
Schweigsam und gewissenhaft
Bewegen wir den großen weißen Ball
Zwischen uns hin und her
Lösen uns am Auslöser ab
Wir spielen für
Uns als Zuschauer:
Kleine angenehme Nachwelt
Würdig, ein glückliches
Gelächter hervorzurufen
Und der Garten, schaut nur,
Die Gartenmöbel
Und du, Liebes, du siehst keineswegs
So aus, als wärst du zwangsversichert

Nein, keiner von uns
Muß in kleinen häßlichen Sorgen
Einschrumpfen: so schönes Haar
So gut plaziert vor solchem
Dunkelgrün: das ist doch kein Garten
Das ist doch ein Park
Voller geheimnisreicher Buschnischen
Wer hier an einem gesättigten
Spätsommertag
Einfach Ball spielen kann
Der stammt vielleicht aus
Einer Szene bei Tschechow
Sehr wenig heutig, gebt es zu.
Wir sind es aber!
Anstrengende Vergänglichkeit
Fadenscheinig! Also bin ich
Dagegen, daß wir Aufhören
Und womöglich
Über irgendwas diskutieren
Wie beachtlich
Um wie vieles größer und ernster zu nehmen
Dunkelgrüner, einfach interessanter
Sieht nachträglich alles aus
Auf und ab mit dem weißen Ball
Wirf ihn mir zu, dann ihm
Der im entscheidenden Moment
Sein Schweben über denkwürdigen Gewächsen
Erhalten wird: für unser bißchen IMMER UND EWIG
Dem wir applaudieren können:
Wie wichtig doch alles war!

Zwei sind ein Plenum

Auf und davon!
Schnell weg von den andern
Mit vielen wäre
Ein Gespräch – so nennen es alle –
Hochkarätig, beruflich unter anderm.
Die allseits beliebte Pause
Am Rande der Tagung
Diese Gruppierungen
Der geschäftsmäßig private Austausch
Das mehr Persönliche
Was für Pillchen gruppieren denn Sie
Um ihren Teller?
Bei den Mittagessen
Die Zukunft eingeleitet
Die denkbaren
Vorabdrucke, Zuwahlen
Honorare und Adressen
Verabredet
Bin ich aber schon
Doch, auch zum Menu
Ja, ich verzichte drauf
Gewiß, obwohl die Herbstsonne
Ihr reihum geschätztes Bestes tut
Ja richtig, diese Menukarte
Ist ein kleines typographisches
Ereignis – interessant genug
Hübsch aufgemacht, Ihre kleine Broschur da
Ziemlich zugkräftig
Finden sich alle, 43 Personen
Und alle, das ganze Plenum
Am richtigen Platz, jetzt in den Bus, jeder, jede –
Bis auf mich

Ich bin ein Schrecknis
Aussätzig, dringend nötig
Mich zu meiden
Ich langweile, infiziere
Alle, alle 43, jeden
Bis auf dich
Du Liebesaffäre, heimlich
Also schnell weg, auf und davon
Schleunigst flüchten
In die alltägliche
Die tagungsarglose geistlose
Staubige übliche Stadt
Zu dir, zu deinem Vorschlag
Du Angebot du
Sagst zu mir: Wenn sich
Für dich dort bei den andern
Nichts Wichtigeres ergibt
Nur dann kannst du vielleicht
Wenn du Lust hast
Mit mir ins »Rapallo« gehen
Hast doch schon so lang
Wiedermal diese
Grünlichen Nudeln essen wollen.
Das Absondern!
Das Wegstehlen, auf und davon
Große Liebe!
Die Rückbildung! Das Reden
In der Kindersprache!
Fort mit der Attrappe, der Tagungsmaskerade!
Du berichtest mir
Wer alles nicht angerufen hat
Ich erzähle dir
Daß ich keine Lust habe
Von der Tagung zu erzählen
Schönes Alleinsein
Hier am Tisch im »Rapallo«

Es geht um jede Minute
Wir zwei, wenn wir nur können
Müssen zusammen sein
Jegliche Chance
Uns zu verabreden nutzen!
Eine Zusammengehörigkeits-Affäre!
Das Spiel »Alles beim Alten«
Stell dir mal vor
Mach dir das nur mal klar
Kann ich schon zwei Stunden später
Zu mir sagen – dich verschone ich
Mit großen Worten –
Ich bin
Wieder einmal
Zwei Stunden lang
Völlig abgerundet glücklich gewesen!
Gut gepaßt hat es
Daß ich aus lauter Übereifer
Vor lauter Beseligung
Nicht mein Lieblingsessen bestellt habe
Und daß ich
Bei den falschen Nudeln
Den idealen Geschmack
Gespürt habe, wie das Heimweh
Wie die vergnügte Erwartung
Von noch mehr Wiederholung.

Die Drittschönste

Aber gegen Ende der Modenschau
Hat mir das dritte Mannequin
Am besten gefallen
Die Schönste
Die Merkwürdigste
Am Anfang tat sie mir leid
Sie war zu groß, zu verlegen
Für ihren Beruf
Die einwandfreien Kolleginnen
Benutzten den schnellen Schritt
Nur kurze Einblicke
Kaum was zu sehen
Zum Anlocken eilig
Die Dritte aber
Riskierte die langsame Gangart
Sah so versonnen, so ergeben aus
Gutmütig vom Land
Sie schien vor sich hin zu summen
Das hier ist ein Saum
Das sind viel zu breite Schultern
Hier haben wir eine Kappnaht
Kein Kleid stand ihr ganz und gar
Sie hörte in sich hinein
Und daß sie fehl am Platz war
Und es empfand
Und daß sie sich
In aller Freundlichkeit
Unglücklich fühlte
Aber mitarbeitete
Das ergab den günstigen Eindruck
Ich fing an, mich selber
Wohler und wohler zu fühlen

Einverständnis kam mir
Wie die beste Idee vor
Hier neben dir auf unseren
Sehr guten Randplätzen.
Und ich genoß stillschweigend
Den gefährdeten langsamen Trab meiner
Dritten, meiner Menschenkränklichen
Und flüsternd riet ich dir
Auf die zwei Gloriosen zu achten:
Schau nur, sie haben ausgerechnet
Dich, ja, dich persönlich
Ins Auge gefaßt!
Ich aber wünschte die Dritte kennenzulernen
Kannte sie besser:
Der Defekt, das Mitleid
Mit der Drittschönsten
Mit den Anhängseln des Menschen:
Die verkehrte Perücke
Die gesattelte Nase
Die Zukunft der Lippen
Der jederzeit mögliche Reinfall
Sie könnte ja einknicken, sie wird
Stolpern. Nur die Drittschönste
Kann eine Schönste sein.

Die Wunschfrisur

Zuerst einmal
Bringe ich sie dorthin.
Schön finde ich dich sowieso
Rufe ich ihr nach.
Sie hat was zu essen mit
Wird aber nicht unbesorgt genug sein
Um in den Apfel zu beißen
Auf die Wartezeit
Habe ich mich gefreut:
So viel zu erledigen
Was ich, wenn ich allein bin, doch
Entschieden zügiger hinter mich –
Erlöst vom Gejammer in den letzten
Tagen, war schon schwierig –
Bringen kann, aber ich
Stelle sie mir doch vor
Wie sie dort, in dieser Fremde, dort
Duldsam mit sich selber
In den Spiegel schaut
Jetzt hoffnungsvoll
Jetzt wird sich alles alles wenden.
Und bei mir kam kein Genuß zustande
Mein Alleinsein nützte wenig
Ich sah oft auf die Uhr und
Nach mehr als zwei Stunden
Als sie doch überfällig war
Ging ich hin, obwohl
Selbständiges Nachhauskommen
Als feste Verabredung zwischen uns
Viel für sich gehabt hätte – ach:
Auf dem Papier, als erzieherische
Maßnahme – also weg damit.

Dann aber! Schwierig für mich
Dieses Bild wieder anzuschauen!
Dann aber hat sie da gesessen
Nicht mehr mit sich versöhnlich ausgesehen
Schon unwiderruflich verändert
Auf dem Schemel neben ihrem Drehstuhl
Mit Rollen, sie bewegte sich
Jedoch längst nicht mehr, zu
Scherzen ungeneigt
Da war noch immer ihre
Wunschfrisur aus der Zeitschrift
Aufgeschlagen plaziert
Gut sichtbar für die Friseuse
Ihr kleiner Ausschnitt IDEALEXISTENZ
»So sähe ich nach zwei Stunden gern aus«
Hat sie vermutlich
Als alles noch vielversprechend war
Und anfing dort am Behandlungsort
Aufgeregt und gutgelaunt gesagt
Und ich wußte, sie wäre
Von nun an streng dagegen
Auf dieses Photo mit der Frisur
Je wieder einen Blick zu werfen.
Lieb habe ich dich sowieso
Wie ich dir vorher schon eingeschärft habe:
Fast schrie ich sie ja an, wirklich.
Vorher? Vorher hast du aber
Von Schönheit geredet
Daß du mich sowieso schön fändest
Hat sie sagen wollen
Wäre nicht
Nicht ein einziges Wort zu sagen,
Nicht das Liebste
Und
Nicht das Schönste.

Die Verwechslung

Und als gar kein Zureden mehr nützte
Nichts verfing, kein Kompliment
Bei ihr so richtig zog
Da fiel ihm ein
Ihr zuzurufen:
Es ist doch diesmal genau so geworden
Wie bei dieser Sängerin
Wie bei der Bea – wahrhaftig
Du siehst zum Verwechseln
Wie diese Bea aus!
Sie rannte zum Spiegel
Kamm, Wasser, Bürste
Die Schere . . . wie gut er es
Aber mit ihr meinte!
Hab ich was Verkehrtes gesagt?
Ging's um Mick Jagger
Es sollte wie bei
Mick Jagger werden?
Unverstand, dachte sie, ratlos
Und rasch seine Reue
Ich selber müßte es schon
Jeweils geblieben sein
Die vom Friseur zurückkehrt!
Aber wie sehr sie ihn liebte
Später, als er beim Essen
Seine Gabel mit dem erwünschten Stück
Vom Fleisch wieder senkte
Und mit Appetit in der Stimme
Vorschlug: Es glänzt, das Haar
Wie bei der kleinen Eistänzerin.

Die Jüngere und die Ältere

Und wieder, oh verdammt, wieder
Schlug das Pendel für Ilsie aus
Er wollte es ja gar nicht
Er war doch mit ihr fertig
Endlich endlich und ganz treu
Und zurück bei seiner Frau
Nicht geliebt hatte er
Seine Frau nie
Aber Ilsie: als könne man
Aus ihrer Jugend schließen
Daß sie klug gewählt hatte
Und im Recht war
So jung zu sein, als gliche
Das einer Entscheidung und zwar
Einer intelligenten, für das
Niedrigere Lebensalter
Seine Frau hingegen
Die immer geliebte
Geriet schon wieder
Ins Hintertreffen, Unrecht
Sah wirklich unklug aus
Jetzt auf seinem Innenbildnis
Von ihr; er schweifte ab
Vom Inhalt des Artikels
Sah aus dem Zugfenster
Ein Feldpfad, schnell vorbei
Mit Ilsies Geschwindigkeiten
Nun Waldstücke, Gräser, schütteres
Zeug, auch Menschenhaare altern
Er las weiter
Ilsie überzeugte ihn so aus dem
Hinterhalt und diesmal

Wegen seiner Angewohnheit
Bei der Lektüre von Wissenschaftsartikeln
Menschen, die er kannte, als Figuren
Zu benutzen
Zufällig und zwischen zwei Bahnstationen
Doch wieder diese Untreue, Ilsie
In einem Aufsatz über
Sonographien der weiblichen Brust:
»Drüsen- und bindegewebsreiche Brüste«
»Jugendliche Brüste«
Eben einfach das jüngere menschliche
Fleisch, Frauenangelegenheiten
Wie viel leichter zu untersuchen
Wäre Ilsie, leichter als
Seine Frau, wie viel rascher
In Ilsie zu ermitteln
Alles geläufiger und
Ehrlich gesagt, sagte er sich ungern
Wie viel angenehmer
An Ilsie medizinisch zu operieren
Schluß jetzt, befahl er sich
Aber es ließ sich nicht mehr
Daran rütteln, kam doch auf
Eine selbständige Tat heraus
Bei Ilsie, daß sie 32 war
Alle älteren und alten Leute
Die er kannte
Waren für immer und ewig genau
So alt wie in diesem Moment
Bei der Lektüre des Artikels
Und selbst dran schuld
Und selbst dran schuld
Und selbst dran schuld
Alte Schallplatte
Kein Fortkommen.

Alex Colville »Swimmer«

Eben noch
Ist diese Frau
Mit einer kräftigen Armbewegung
Im Meer vorwärts gekommen
Rechts angewinkelt
Erstarrte gerade jetzt
Kurz bevor ich hinschaute
Dieser Ellenbogen:
Schluß mit dem Schwimmen!
Wie lächerlich
Daß die Frau
Die häßliche sportliche
Weiße Badekappe
Fest über die Ohren gedrückt hat
Vor dem Start ins Meer
Als hätte sie
Gehofft zurückzukommen
Nicht damit rechnen wollen
Im Standbild festzuwachsen
Bei längerem Hinschauen
Erst dann
Fängt die Frau an
Mein Mitleid zu erregen
Und der Winkel ihrer
Ellenbeuge wird flacher
Verweigerung ist das nun
Nicht mehr
Diese arme Schwimmerin
Versessen auf den Horizontsport
Weder Ausruhen
Noch Untergehen
Kann sie sich

Als Chancen ausdenken
Aufgeben nützt nichts
Kein Ertrinken!
Die Museumsbesucher
Bleiben vor diesem Bild
Nicht sehr ausdauernd stehen
Das Ausdauern der Frau
Des Malers Alex Colville
Wird bei schnellerem
Hin und Her
Von Zuschauern
Für einen besonders
Ergiebigen Crawlstil gehalten.
Töricht, diese Wassergekreuzigte
Vielleicht töricht
Sie nicht um ihre
Ewigkeit zu beneiden.

Colville in Belgien

Am liebsten aber
Zurück zum belgischen Meer
Ich kann sein wo ich
Will – bestimmt
In einen Alex Colville Tag
Zu starrem Wellengang
Will ich zurück
Abstoßend leer blau
Möwenäugig blau
Die Unentschiedenheit
Der Vorlandschaften
Bis ich ankomme
Weiß ich
Wozu die Straßenkiefern
Und das verkommene
Grüngestrüpp
In Mitleidenschaft gezogen sind
Straßenschluchten
Bis an den Strand
Chicago-Meer
Die heringsfarbene Häßlichkeit
Von Casino und Tourismus-Tempelchen
Schön
Möwenexkrementgraue Fassadenfront
Und jederzeit kann ich
Mich umdrehen, dem Meer zu
Zum Lachen: so eine Größe
So viel Einsamkeit
Colville-Gemälde endlich
Spöttisches Meer
Albernheit, schönes grimmiges
Lächerliches Meer.

Immer in Wales

Furchtbar schuldig!
Als mir Wales einfiel
Das Stück Küste
Grauer Stein
Und du mir
OH YES gekauft hast
Nichts photographiert!
Nichts aufgeschrieben!
Weißt-du-noch-Sagen
Hilft stückweise zurück
In den grünglänzenden
Übergang der Parkanlagen
Auf den Pfad in
Die Waldwildnis: mir zuliebe
Hast du Dschungel mit mir
Gespielt, und Aberystwith
Unsere Flucht vor der Tagung!
Die Seilbahn? Ich hatte sie
Vergessen, da siehst du
Wie säumig, wie verfault
Kein Schnappschuß, nach-
Lässig, Vergeudung,
Vergoren, auch der kleine
Pferch mit dem Weideareal
Für nur ein Schaf, wir
Haben unsere Kenntnisse
Über die Depressionen bei
Alleingehaltenen Schafen
Parat gehabt: kein Photo
Vom Schaf, es sah verwundert
Und wie ein Passagier aus
Ohne Fahrzeug, ohne Gepäck

Und ich hielt alles
Für so sicher
Vielleicht weil ich
In den paar Minuten
Ohne dich, allein im
Leeren Abteil vom leeren
Zug, bis auf uns war nur
Das Bahnpersonal im Zug
Weil ich ganz laut
Und begleitet vom englischen
Lärm eines Zugs
Ganz laut JESU MEINE FREUDE
Gesungen habe, vielleicht
So sicher, so gut klingt
Musik mit Bahngeräusch
Muß ich vielleicht
Gar nicht alles Wichtige
Immer weiter festhalten?
Aber es fehlen Aufnahmen
Vom Bahnhof, von der
OH YES-Packung, wie nur
Konnten wir das Pergament-Papier
Aus den Augen verlieren
So unbefangen sein, also
Glücklich, das ist anzunehmen
Auch die Billets und anderes
Einwickelpapier wegzuwerfen
Und wo ist die Rechnung
Vom Mittagessen, gab es kein
Zettelchen, keinen Hotelprospekt
Furchtbar ungewaschene Zustände
Verkommen
Unser kleines Meerstück
Unser aufsehenerregender
Walliser Ausflug
Grauer Stein

Grünes Greganog
Der Gärtner
Die Geometrie
Die Gewächse hatten
Wie Zootiere Namen
Das alles verfällt ja
Hörst du, wir sind das
Gewesen, und ich rege
Mich auf, so ohne
Andenken, bis jetzt
Bis diese Buchstaben
In großer Nachholhast
Aufstehen
Die Polaroid holen
Komm: wir machen
Ein Bild von uns
Jetzt, wie wir jetzt sind
Beim Erinnern
Unschuldig
Als uns Wales einfiel.

Auf der Rheinbrücke

Auf der Rheinbrücke
War ich stolz
Auf mich, weil ich
Über den Rhein ging
Weil ich diese Brücke benutzte
Weil ich einen Bericht ergab
Weil mein Erzählstoff
Mir imponierte
Im voraus für Publikum –
Da erschrak ich:
Ginge ich überhaupt
Über Flüsse
Benutzte ich Brücken
Rastete ich denn
Neben der alten Person
Auf der Bank
Bewunderte ich
Die aschefarbenen Möwen
Ihre perlmuttschillernden
Kotspuren auf der
Kleinen Pier – DIE KLEINE PIER
Wenn ich mich das nicht sagen hörte! –
Bliebe ich denn für die
Zwei ausgelaugten Holzböcke
Wasserzernagte Pfähle
In diesem Moment stehen
Schaute zu, den Einzelheiten
Im Zusammenhang mit mir
In den Augen anderer?
Man muß einen Zuschauer haben
Einen Briefleser
Einen Neugierigen

Rief ich stumm zum
Himmel, den ich –
Schöner Irrtum –
Für leer hielt, rauchbräunlich
Und darin die
Schwarze Steilwand
Der Dom – also bitte!
Wem fehlt es denn an Aufmerksamkeit?
Recht haben Sie, sagte ich
Zum betrunkenen Mann
Der neben seinem Fahrrad
Auf dem Asphalt kniete
Und einfach die verschränkten
Beiden Hände
Himmelwärts schüttelte
Mit seinen leisen gottesfürchtigen
Verwünschungen
Gut betrachtet und erhört
Gebetet hat
Genau richtig ins Blickfeld gerückt.
Weiter über den Rhein
Auf der Brücke!
Ich raffte mich wieder auf
Zum Bessermachen
Und Schritt für Schritt
Ergab ich
Wie sonstwo auch
Einen Text
Der Psalmspur
Von jeder Möwe
Ähnlich, aber nicht mit ihr zu verwechseln –
Doch wieder nicht, plötzlich
Halbwegs über dem Rhein
Hatte ich genug.
Zu bequem für das Ganze!

Ein Platz auf dem Fragebogen

Der alte Mann
Auf der Schwelle
Zu seiner Wohnung
Er schaut zurück
Und die drei Schüler an
Dann starrt er wieder
Auf den Fragebogen
Er streicht den Kamelhaarstoff
Seines Hausmantels zurecht
Kälte dringt aus dem Vorgarten
Zu ihm, er will das nicht.
»Sind Sie denn dafür
Daß wir Jugendlichen
Eine Zukunft
Ohne Wald
Haben sollen?«
Die drei Schüler warten ab.
Der alte Mann
War plötzlich
Bei all seiner lebenslänglichen
Und gut ausgenutzten
Leidenschaft für Bäume
Völlig gleichgültig
Das merkte er jetzt.
Vor Neid stumm
Rüttelte er am Schüler
Der ihm zunächst stand:
Trollt euch!
Wollte er rufen:
Ich möchte tauschen!
Ich nähme es auf mich
In eurem Alter

Das Amazonasgebiet
Neu zu erfinden!
Oh, alt zu sein
War nicht das Schlimmste
Aber wenn er schon sterben sollte
Was er für eine idiotische Idee hielt
Für einen groben Fehler
Abgeschmackt
Dann kam das doch sowieso
Einer Katastrophe wie
Versteppung, Welt-
Untergang gleich!
Warum begriffen sie das nicht?
Ich mache keine Aussage.
Doch nach einem Räuspern
Rief er pardon
Ich will
Natürlich, selbstverständlich
Gegen alles alles
Mitprotestieren!
Pardon!
Wie höflich er ist
Der alte Mann
Komischer Kauz.
Die Schüler
Schnell jetzt weiter
Klingelten längst
Und lieber
Bei den verständlicheren
Nachbarn.

Angenehmes Telephonat

Sie hat, wie immer von zu Haus
Nichts, was passiert sein könnte,
Mitgeteilt. Nur Angenehmes
Übliches, das Angewöhnte.
Herzlich war auch der Abschied:
Bis morgen, Liebes, alles Gute
Geh nicht zu spät ins Bett
Und iß genug! Du auch!
Und schone dich!
Wir schonen uns. Wo bleibt
Die Übertreibung? Das Bessere?
Alles ist wirklich gut genug
Und daß es bleiben soll wie immer
Betet er doch oft. Sie auch.
Was also haben zwei am Telephon
(Er ist geschäftlich unterwegs
Sie bleibt zu Haus und paßt gut auf)
Was haben sie denn
Mehr als Regelmäßigkeit
Als Stillstand nur
Erhofft?

Rätselfreundin

Da, da war es wieder
Ihr Gesicht wie beim Rätselraten
Wort mit wie viel Buchstaben
Erster WIE, dritter WAS, letzter WO?
Er, in aller Liebe
Wütend, um ihr zu nützen
Der kleinen, eigentlich
Fröhlichen Frau
Die sich jetzt Sorgen machte
Er, er wartete wie immer
Nicht vergebens
Da, zum Gesichtchen passend
Nannte sie ihm die
Drei oder vier möglichen Gründe
Für schon wieder eine
Ganz schlechte Nacht:
Wie schusselig von ihr
Diese kaum sichtbare Unbequemlichkeit
Mit dem Weltgeschehen zu verwechseln.
Das Erdbeben im Rheinbecken
Du, ich spüre so was
Wie den Neumond, den gewiß
Spüre ich auch, was meinst du?
Er griff sich die Tageszeitung
Brüllte ihr fröhlich
Weil er Stoff hatte
Zornig vor Mitgefühl zu:
Und die chinesische Überschwemmung
Und die mäßige Zuckerrübenernte
Geringere Erträge bei
Krabbenfangzügen
Spürst du alles, alles

Krawalle in der New Yorker U-Bahn
Das gebrochene Brustbein des Ministers
Du schläfst schlecht, spürst:
Siamesische Zwillinge getrennt
Jemand gibt sich als Einsteins Urenkel aus
Schöne politische Mitarbeit, das,
Schlechter Schlaf
Auch weil Brasilien
Das höchstverschuldete Land
Der Welt ist, Weltschläferin . . .
Oh ja, unterbrach sie ihn da
Ich glaube schon, daß es
Diese schwere, lästige
Schwere schwere Erdschwere ist
Dieses Weltgewicht
Das mich, manchmal doch
Nicht ruhen läßt.
Sie sah stolz aus
Ernst auch, und nicht mehr
So als könne man ihr
Wie beim Rätsellösen helfen.

Kinderweinen

Ich höre gern, wenn Kinder weinen
Schon einfach das Geräusch
Erinnert mich an nichts
Ist doch wie eine Spur
Und Heimweh, wenn
Ein Kind laut weint
Ich liebe das Geräusch
Von Quellen, guttural
Es ist jetzt die Erinnerung
Von einem andern Menschen
Fremde, die ich
Zurückgewinnen kann
Wie einen Traum
Aus einer Nacht davor
Mit einem Pfad
Und Teich, im Garten
Spätsommerlich am Abend, und . . .
Das Nachbarskind
Weint pünktlich, schnell! Nur
Schnell! Ans Nachbarfenster
Fort mit mir von jetzt
Um mir von damals zuzuhören!

Nach Art der Geisteswesen

Gründlich erläutert
Die Gastgeberin
Wie geschickt sie vorging
Bei der Fahndung
Nach der fleischigsten
Gans, wie sie
Das gesamte Angebot
Gekniffen und betastet hat
Und dazu noch
Billig wegkam
Ihr macht man nichts vor.
Der höfliche Gast
Sagt ihr sein Kompliment
Aber schlechter als die
Fettaugen, Fettpolster
Auf seinem Teller
Wird ihm sein Betrug bekommen.
Er möchte verkündigen:
Dieses Tier, das wir
Menschen! Erwachsene! Geisteswesen!
Ist es nicht eine Schande
Verschlingen, diese Gans
Sie hatte diese hübschen
Blauen Augen, wie sie Gänse haben
Oder nicht? War uns
Auf ihre Weise
Überlegen! Und dir
Du hübsche junge Gastgeberin
Hatte sie einiges voraus
Sie war die Schwächere
Von euch beiden, sonst nichts
In ihrer Phantasie
Bist du als Mahlzeit nicht erschienen.

Die grüne Aue

Daß ich gerade das nicht weiß
Daß ich es wirklich gar nicht weiß!
Die alte Frau und Witwe
Ist ratlos, ist auch zornig
Hört nicht auf RUHE! LASS DOCH!
Man will sie doch nicht quälen
So wichtig war es nicht
Vertrösten ihre Kinder
Die alte Frau und Witwe
Auf noch mehr Abschied – eben –
Hat es ihn noch gegeben.
Den Mann der Frau, verlassen
Verlassen, murmelt sie
Schwört, sie flüstert
Wie gegen ihre Schande
Als Mittel gegen Schämen:
Daß sie ihn ihr so nähmen!
Der Mann, er war ein Pfarrer
Wie viel weiß sie von ihm
Sie weiß von ihm doch alles
Das hat sie gut behalten:
Wie er den Tee gern hatte
Die stets zu langen Ärmel
Das Anvertrauen auch
Auf dieser Bank am Denkmal
In allen Jahreszeiten
Die Treue, nie gebrochen
Die Ehe, nie verstoßen
Die Liebe, ungestört
Länger als fünfzig Jahre
Verlobt in einem Wäldchen
Und bis dorthin zu seiner Bahre.

Wär's nicht das Lutherjahr . . .
Weißt du, wir dachten bloß
Du, Mutter, wüßtest es
Wir selber sollten ja
Den Vater besser kennen
Mach du dir keinen Vorwurf
Wir dachten nur, ihr zwei . . .
Ich kannte ihn so gut!
Ich höre jede Andacht
Heut im Vergleich mit ihm
Und Taufen war ihm lieber
Als Trauung, als Begräbnis
Das hatte er nicht gern
Und dennoch gut gemacht
Er mied, wie ich, den Friedhof
So gut es ging, es geht
Für mich auch ohne Friedhof
Nicht ohne ihn, er weiß es
Ich sehe ja das Beffchen
Hab selber diese Arbeit
DAS STÄRKEN übernommen . . .
Oh ja, du hast ihn wirklich
Gestärkt, ja Mutter, ruhig!
Nicht nur das Beffchen, ihn!
Wir wollten es halt wissen
Es ist das Lutherjahr
Und der Essay, verstehst du
Es hätte gut gepaßt
Den Vater zu erwähnen
– Daß sie ihn ihr so nähmen –
Ich müßte es ja wissen
Ich kannte ihn so früh schon
In seiner ersten Stelle
Hilfspfarrer: gleich der Beste!
Er fiel Dekanen, Pröbsten
Der Kirchenleitung auf

Talar und schöne Augen
Die gute Stirn, die Hände
Erhoben für den Segen
Er fällt auf mich – fällt Regen?
Was ist das: Morgentau?
Ist das der Abendwind?
Kommt jetzt der Mittagsschnee
Ist das die grüne Aue?
Auf einmal ist der Frau
Und Pfarrerswitwe heiter
Zumute, nicht mehr weh.
Er war bald dies bald jenes
Erklärt sie ihren Kindern
Gewiß, ich weiß es wieder
Lutherisch ja, und auch
Ein Reformierter – alles
War euer Vater, mehr
Er stand darüber
Er
Mein Mann, oh doch, ich weiß es
Erinnere mich gut, oh ja
Wie sehr!

Mitten im Frieden

Ach, verflucht!
Warum passen Sie nicht auf?
Es kommt nicht oft vor
Daß ich so unbeherrscht bin
Diesmal aber
Mußte es sein
Tut mir verdammt
Kaum leid, Ihr Pech.
Die Person im Bahnhof
Die mir auf den Schuh trat
Wundert sich sehr:
Ich sehe nicht so aus
Als wäre ich jemand
Der herumschimpft.
Ist doch nichts passiert, oder?
Neugierig, nicht freundlich
Wird auf meine Auskunft gewartet.
Ich verrate jedoch
Nichts, kein Wort! Doch
Nicht jedem
Der drauf los trampelt!
Der Klecks am Schuh
Das Erinnerungsmuster
Das hochbewertete Andenken
Ruiniert – keine Tränen
Nachweinen vor anderen Leuten
Wie gut die Oostender Möwe
Getroffen hatte, ins Ziel!
Und wir – unser Lachen
Mitten im Jammer der Trennung – gelacht
Mitten im Frieden!

Schuheinkauf

Entsetzt war er
Beim Einfall
Von Sonnenlicht
Und Überschärfe
Dort sah er
Sie so klein
So aufgeregt
Und sich
Mitten im Zornausbruch
Aber das ist
Meine Passion!
Mein Mitleid!
Er schrie sie an
Um ihr
Die immer tiefer
Zu bedauern war
Zerfetzt aussah
Ratlos, keine Entscheidung
Treffen konnte
Oh – Hilfe! Die Schuhverkäuferin!
Um ihr
Seine Liebe zuzubrüllen.

Filmausschnitt »Bomben über Berlin«

Aber wer hat sich bloß
Die Zeit genommen
Ihm die Ärmchen übereinanderzulegen?
Ein schöneres Baby
Ein ergreifenderes Gesichtchen
Ein vollkommeneres winziges Kind
Wird niemals
Nie und nimmermehr
Wieder auf der Welt sein
Ganz kurz hat dieses Baby
Die Welt ausprobiert
Jetzt sieht es
Betrübt und enttäuscht aus
Wer hat so schnell
Das minimale Existieren
Beleidigt, unüberlegt erledigt?
Aber wer hat sich die Zeit
Gelassen, ihm über
Was für Augen
Die Lider zuzuschlagen?
Es sieht wie ein Täufling aus
Uralt von Anfang an
Amateur-Greislein . . .
»Ich erbitte diese Aufnahme
Als Standbild, ermöglichen Sie es . . .«
Das großartige Baby
Aus dem Film
Im Sarg zwischen Trümmern
Dieses Dauergebet
In der Berufskleidung
Für Tod und Taufe
Flüchtiger Versuch zu leben.

Die asymmetrische Bluse

Worüber hatte er sich
Denn eigentlich
Vor drei Stunden noch
So furchtbar aufgeregt?
Etwas Lästiges in der Kanzlei
Nein, ein Regelverstoß
Eine Angelegenheit von
Großsprecherei
Tragweite – was denn nur?
Jetzt in seinem Abteil
Das er mit
Vergnügungsreisenden
(Ekelerzeugend: rosig von Lock-
Angeboten, schwatzhaft)
Mit Sorglosen
Teilen mußte
Jetzt zielte seine
Versammelte Empörung nur noch
(Aber stark wie vor drei Stunden)
Auf diese irrsinnige
Bluse der Frau gegenüber
Wie gelang es der Frau
Seelenruhig ihr Schläfchen
Abzuhalten
Nachdem sie sich und ihren Mann
Aus vielen Töpfchen und
Mit einer Blutwurst
Gefüttert hatte – wie nur
So eingefriedet
So patzig und ohne Hysterie
In dieser Bluse
Mit den völlig

Verschiedenen Hälften
Über der Asymmetrie thronte
Ihr undankbares Gesicht
Wie hielt sie
Das Leben aus
Ungestört in eine Störung
Gekleidet, diese zwei
Stoffhälften sind irrtümlich
Zusammengenäht worden, oder
Mit einem ähnlichen
Zwischenruf wollte er die
Frau aufwecken, ungern
Hatte sie vorhin
Ihren Mann ernährt
Wie gelang ihr
Das Wachsein, das Schlafen
Rechts rotweiß und gestreift
Und links grün
Lauter Gegenrichtungen
Völlig idiotisch
Er knurrte endlich
Erkannte darin sein Lebenszeichen.

Unerlaubt lieben

Hast du die Zwei gesehen?
Die Aneinandergeklebten?
Schwarze Bahnhöfe
Sind ihr Zuhause
Sie hat erdbeerfarbene Hosen an
Erinnerst du dich
An ihn auch
Finster, finster wie er
Zärtlich zu ihr ist
Beinah gehen sie zu weit
Was fällt denen ein
Aber was nun
Also wie die zwei dort
Ineinander leben
Oder wenn wir hinschauen
Was passiert denn da
Es ist ja schließlich
Kein Beruf: Unglückliches Lieben
Dieses Glück auf dem Bahnsteig
Sind gut dran
Im schwarzen Bahnhofskummer
Sie tun ja, als wäre
Jetzt immer
Stellen sich an
Wie für die Ewigkeit
Das weiß man Jahre später
Doch besser, erinnerst du dich
Hast du diese Zwei gesehen
Jemand Ähnliches
Ist immer zu finden
Ziemlich beneidenswert unoriginell
Unerlaubt lieben.

Spielkamerädchen

Alles andere hat er aber
Völlig vergessen
Wie müde muß er gewesen sein
Alle Besorgtheit um
Werweiß wieviele
Umherliegende Formulare
Die Ordnung seiner
Vorsätze, Schreibarbeiten
Der Geber – good boy, good sport
Er ist ihm
Auf den Boden gefallen
Auch die ausreichende Versorgung
Mit Decken
Sie kümmert ihn nicht mehr
Es wird sehr kalt im Zimmer
Und, obwohl er den dicken melierten
Pullover, den liebesgestrickten
Den lieben blauen Pullover anhat
Kompakt aussieht
Es wäre ihm kalt
Wenn er nicht
Im Schlaf
Ganz andere Sorgen hätte
Er hat nur die eine
Mit ins Traumland genommen
Die ewigkeitverkündende Treue:
Noch immer sind seine schönen
Gutmütigen kräftigen Hände
Fest ineinandergefaltet
Die breiten Arme
Ärmchen, mein Liebstes!
Mit dem wichtigsten Spielkamerädchen!

Angewinkelt, es wäre immer
Und immer noch Platz
Da drin, wie vorher, wie
Vor deinem Einschlafen
Immer noch Schirmherrschaft
Obhut, fester Griff
– Fall mir nicht runter
Vom Sofa, nehmt es mir nicht weg,
Nur nicht, mein Lieblingsspielzeug –
Platz für mich.

Freund Ozu

Gleichzeitigkeitsideal
Das wollen wir wieder so haben:
Auf dem Bildschirm
So langwierig und verläßlich
Wie ein ganzes Leben
Durch sämtliche Jahreszeiten
Yasujiro Ozu – wie hieß nochmal
Dieser Film heute
Könnte der vom nächsten Mal sein
Und rechts oben am Nachthimmel
Gleichzeitig anzuschauen
Weil die Handlung langsam
Geht wie fernes Gestirn
Unser Sternbild
Stillstand, wir tun so
Als könnten wir das Zimmer
Nicht heizen, wärmen einer
Den andern, gleichzeitig
Auf dem alten Canapé
Kaum Platz für zwei
Das ist komisch und schön
Wie die höflichen Gesten
Der japanischen Darsteller
Ozus altmodisch vorsichtige Menschen
Betrachten wir nun schon
So lang wie Familienmitglieder
Wie lang dauert denn
Der Film noch, endlich ein
Regisseur, der einen gar nicht
In Zeitpanik versetzt
Das Lächeln der Mutter
Die den Mittagsschlaf

Sehr gern für uns unterbricht:
Auch so ein liebes Bild
Kann man sich während
Bei Ozus Herbsttag jede Minute
Stattfindet ohne Sensation
Gut wieder vornehmen
Jetzt wieder
Alles wiederholen:
Ihr lieben lieben Kinder
Leute auf dem Bildschirm
Die sich voreinander
Verbeugen, und dein
Arm um mich
Dein Wunsch wird erfüllt
Unglück ist besser
Als gar kein Glück
Die Mutter schläft weiter
Immer wieder passiert
Im Spielfilm gar nichts
Am Nachthimmel jetzt bald
In die Richtung Sternbild
Das Flugzeug wie üblich
Ich bin für den Nachtflugverkehr
Uninteressant schön anhaltend
Wie der Sternhimmel
Mit unserem Erkennungszeichen
Aus halsbandförmigen Blinklichtern
Schon mal gezählt? Sind das alle
Unsere Lieben? Könnte von diesem
Freundlichen Yasujiro Ozu sein
Festhalten, wiederholen
Jemand im Film entscheidet sich
Aus Zurückhaltung
Für unbequemes Sitzen
Für Verzichten, für Lächeln
Jemand hier im Zimmer

Müßte gleichzeitig
Gott nachweisen
Jetzt müßte er eigentlich
Klar hervortreten
Also stehe ich auf
Nicht alles kann ich
Sternbildern, Ozu-Filmen
Wiederholter Liebesstörung
Beim Mittagsschlaf
Überlassen. Ich muß
Etwas Lästiges, unangenehm
Unbequemes tun
Ich hole die Lesebrille
Ich suche die bestimmte
Psalter-Stelle, brauche Licht
Störungen
Aber anschließend
Einfach durch Behauptung
Gibt es wieder für eine
Zeitlang Gott, und dieser
Menschenachtende Regisseur
Dieser Freund Ozu
Wird auf die richtige
Länge aufpassen.

Zwei Verkehrsteilnehmer

Wirklicher Durst
Ist das nicht
Es ist aber ziehend
Zehrt, saugt inwendig
Ist ein Anwesenheitsgefühl
Der Streckenverlauf
Durch etwas Schnee
Der wie Zierat
Den von Kummer und Schwärze
Und von Scherereien
Erschlagenen Alltag verbessert.
Diese Route
Oft benutzt
Ist heute zu schön
Sie regt meinen Protest nicht an
Ich habe den falschen Eindruck
Von Durst
Dauernd ist das
Wie Durst
Wenn ich an dich denke:
Du hast, gegen meine Hysterie
Mitten im Straßenverkehr
Mein Klavierstückchen von Edvard Grieg
Dirigiert, noch nicht in Bahnhofsnähe
Deine Hände überm Steuer
Du bester, tugendhaftester Schlauster
Unter allen Verkehrsteilnehmern
Fährst, waghalsig als Dirigent
Und umsichtig wie keiner!

Der Kenner

Mit dem Verfassen
Des Rundbriefs
Ist er jetzt fertig
Und zufrieden.
»An alle Kollegen
Die sich das Nachdenken
Noch nicht abgewöhnt haben.«
Er macht Vorschläge
Für die kommenden
Plenarsitzungen, die Wahlen
Kommissionen, weiß Themen
Ihm fällt fast zu viel ein
Ihm kann man seit Monaten
Nicht vorwerfen
Sich als Idylliker
In eine Weltfremde
Außenseiterisch
Abgeseilt zu haben.
Er bringt Opfer
Erlaubt sich ganz selten
Ein dann sehr
Kurzes Gedicht
Eng gegenwärtig
Immer zur Lage
Ohne Zukunft, so, und nun
Geht er mal auf den Markt
Als Kenner und Koch
Guter Gastgeber
Muß er jetzt los
Los los, zu dem Stand mit diesen
Wohlschmeckenden
No-Future-Lachsforellen.

Alte Frau, ratlos an der Hotelrezeption

Das sagt sie nicht.
Eher streng veranlassend ist ihr Ton:
Schauen Sie nochmal in Ihrer Liste nach!
Mein Name muß vermerkt sein.
Vielleicht unter K
Häufig wird mein Anfangsbuchstabe
Schlecht gehört . . .
Das sagt sie nicht
Zum Burschen
Dem einzigen Mitleidigen im Gewirr
Der Kongreßteilnehmer und der
Eifrig-bestechlichen Hotelpersonalkollegen
Sie sagt nicht:
Seien Sie bitte auf keinen Fall jetzt
Zu lieb zu mir
Es macht mich noch älter
Lassen Sie ruhig den Eindruck
Von Unverschämtheit
Ungestört auf mich einwirken
Wenn schon kein Respekt
Für mich zu haben ist
Bitte, lächeln Sie nicht
Nicht sanft, nicht enkelähnlich
Nicht vertraut
Ich möchte Sie unter gar keinen Umständen
Gernhaben . . .
Sähe nach Tränen aus
Verstanden?

»Du schenkst mir voll ein«

Der aufgeregte Passagier
Nahm sein Handgepäck und alle Bedenken
Mit sich, zusammengerauftes Material
Er selber
Nun probierte er
Fürchtenverlernen
Weiter vorne im Flugzeug
Es schlingerte aber auch hier
Unter den
Selbstgerechten, den Nichtrauchern
Den partiell Abgeschiedenen
Ach, und dazu diese Flugreiselektüre
Diese Helden der Handlung
Pulsare, Schwarze Löcher.
Das ausgedachte Ende des Universums
Das reicht doch schon
Fand der Passagier, nah der Panik
Dieses Stück Himmel ringsum
Genügt
Wozu diese weiten Entfernungen
Warum muß alles so groß
Und so auseinandergezogen sein?
Schnell noch aufessen
Was da ist!
Frühstücksdiebstähle . . .
»Du bereitest vor mir einen Tisch
Im Angesicht meiner Feinde.«
Das Flugzeug rüttelte so vernunftlos
Daß das Aufschreiben
Des frommen Zitats
Ebensoviel wog wie
Der Tod eines Glaubenskämpfers.

Im letzten Wagen

Der Wagen rüttelt so
Es könnte dieser Zug sein
Es könnte sein, daß einmal
Das alles sogar mir
Passiert, das reservierte
Zimmer ist schon vergeben und
Das Abholen verpatzt
Am Telephon die falsche
Person, die Nummer stimmt nicht
Diesmal bist du es wirklich
Verwickelt in den Unfall
Krank, auf dem andern Bahnsteig
Die Abfahrtszeit verkehrt
Der Wagen rüttelt so
Sitz nicht im letzten Wagen
Vom Zug, denn irgendwann
Passiert vielleicht auch mir
Alles hoch unwahrscheinlich
Bei Glatteis kommt ins Schleudern
Das unerwünschte Auto
Auf dem verkehrten Platz
Das Nachwinken vergeblich
Was ringsum auf dem Globus
Nur andern zustößt – mir
Gilt niemals eine Zeile
Aus Nachrichten, der Zeitung
Doch dann geschieht auch Lesern
Vielleicht einmal sogar
Nicht nur Entgleisen, Rütteln
Nicht nur das Pech, Versäumen
Sogar – sehr schwer zu glauben –
Der Tod, wie jeder Irrtum.

Verköstigung

Entsetzlich wie wenig
Die Leute einem zu essen geben
Sie hungern dich aus
Sie wollten ganz dringend
Dich bewirten
Es war ihnen selbstverständlich
Es war ihnen eine Freude
Vorsicht ist geboten
Wenn sie zur dringenden Bitte
NICHT DER REDE WERT anfügen
KEINE AFFÄRE, wirklich
Passen Sie nur auf
Wenn die Gastgeber von
Unkompliziertheit sprechen
Wenn es wenig Umstände macht
Die Hausherrin
Hat gar keinen Appetit
Redet lieber, stützt die Ellenbogen auf
Zwischen ihren Armen
Die wie zwei Schlegel
Ungebraten aussehen
Den Teller, sie schaut aber dich an
Der Hausherr hat erst gestern
Etwas zu viel gegessen
Heute abend sind sie beide
Ganz offen für irgendein
Thema, jemand Hungriges
Amüsiert sie übrigens auch
Was sollen die eingemachten
Mandarinenschnittchen
Die ums kalte Elend
Der versteinerten Fleischkißchen

Geschubst worden sind, sieht nett aus
Oder? Und außerdem nur ein
Handgriff – gestern
Ist hier ein Geburtstag gefeiert worden
Da merkt man auf: gibt es vielleicht
So etwas wie ein Kind
Einen Menschen, der Eßwaren zu sich
Nimmt, ich meine, jemanden
Der ißt, verstehen Sie, einfach
Ißt? Sie sind originell
Wirklich schön Sie bei uns zu haben
Möchten Sie Tee oder Wasser oder
Gar nichts?
Schnell essen und von allem
Ich sage Ihnen, das ist
Das Gebot der Stunde
Es geht um Leben und Tod
Weg mit der Scham, iß dich
Satt, versuche, das hier
Zu überleben, wie vorhin
Im Auto, auf der Fahrt
Zu diesem Eßtisch
Als der Gastgeber, zu gesprächig
Zu sehr ein Kulturmensch
Nichts übrig hatte für
Gedanken an Autofahren
Bei Nacht, und Glatteis ist ihm
Sowieso egal, ihm steht der
Kulturverein viel zu nah
Schauen Sie, wie liebevoll
Mitmenschen doch auch sein können
Erzählt er mir – es ist ihm so oft schon
Zu seiner Freude
Von Mitfahrern auf nächtlichen Straßen
Zugeblinkt worden
Aufgeregt umhupen sie ihn

Lauter Taubstumme scheinen
Sein Fahrzeug zu begleiten
Alles winkt – oh setzen Sie
Doch endlich Ihre verdammten
Scheinwerfer in Gang
Sollten Sie überhaupt
Scheinwerfer besitzen
Weißt du, du ißt schließlich
Sogar diese elenden Mandarinenschnittchen
Allesamt auf, vergißt Stolz
Und Vorurteil, die Gastgeber
Lachen, erinnern sich, es gab
Schon so manche Autofahrergroteske
Wie vieles man doch vernachlässige
Meinen sie, appetitlos, wenn man
So wie sie sich gerade eben vor
Einer Kreuzung bei Vorfahrt
Ach egal wo und wann Hauptsache
Daß man sich über Henry Moore
Und Konsorten unterhalte
Große Zeitgenossen, was wäre man
Ohne sie, auch bei Tisch
Glattweg verloren
Ohne die Jugendbundesmusik
Oder so ähnlich, Geistesszene
Wir sammeln Graphik – muß ich
Ich bin ausgehungert! – das
Unbedingt bei Tisch wissen?
Ach, und dann, dann wagst du dich
An die Schinkenplatte, du weißt schon
Gerollter Schinken, rosige Hülsen
Man vermutet irgendwas Reingestopftes
Letzte Hoffnung, ich nahm zwei
Von diesen Verstecks
Nichts drin! Große Tragweite
Warum rollen Sie denn diese

Schinkenscheiben? Sieht netter aus,
Wie? Wie bitte? Mit einer Paste
Mit einem Spargelstück
Einfach mit ETWAS habe ich
Rechnen dürfen, einfach mit
ETWAS –
Nennen wir das Verköstigung
Füllung!
Ich rechnete einfach mit
Einer Art Freundlichkeit
Als Inhalt von
Gerolltem Schinken
In einer Wohnung
Bei Leuten, verstehst du
Gastgebern, denen
Etwas, irgend etwas
EINE FREUDE war.

Der Konferenzteilnehmer

Ich gewann dich so lieb
Mittendrin, hellichter Tag
Dämmerung um uns zwei
Im Lift, ich bekam diesen
Stromstoß Liebe, wie erschlagen
Vom Kummer so plötzlich dich
So liebzuhaben . . .
Ich kann sie nicht mehr
Auf meine Dienstreisen mitnehmen
Befand er, er wollte nur an sie
Sich wenden, gab jetzt keine
Antworten mehr, sank in sich ein:
Die durchzechte Nacht
Nur schlaflos sein, nur liebhaben
Nur deinen Schlaf hüten
Nur sein lassen, dich da
»Will deinen Traum nicht stören«
Der Mann aus der Winterreise
Nach Brüssel
Gewann dich so lieb
Weinte bitterlich nicht sichtbar
Vor der Trennung
Bis bald! Hörte er sie immer wieder
Inwendig rufen, geh schön zu deiner
Tagung, zu deinen erwachsenen
Spielgesellen, sei tapfer! So lieb
So plötzlich, wie verwunderlich:
Hatte er denn
Seit mittlerweile 17 Jahren
Nicht genau genug aufgepaßt?

»Have you seen my wife, Mr. Jones?«

Als ich kein Wort mehr verstand
Keine Methode wußte
Unsichtbar zu werden
Mitten im Diskussionsstoff
Mitten im Arbeitsessen
– Wer soll den Prix Jeunesse
Den European Prize – ach
Unternehmungslustige Streber
Wettbewerbs-Jugend – vielsprachig
Ehrgeizig wer denn
Soll ihn nun bekommen?
Als ich kein Wort mehr verstand
Erzählte ich dir bereits:
Das Essen war gut
Ehe der Hauptgang serviert wurde
Ich habe dir zugesichert:
»Ich bin bei dir . . .«
Mit Melodie, Johnny Sebby Bach
Wenn wir schon in verschiedenen
Zungen reden, bin immer weiter
Dort mit dir auf dem Flur
4. Etage, Hotel Amigo
Don't go, mon ami!
Abschied, Tränchen! Kindergartengefühle!
Ich weine dir wirklich nach
Unscheinbarer wichtigster Moment
»Have you seen my wife, Mr. Jones?«
Als ich kein Wort mehr zu verstehen
Beabsichtigte, aber wirklich nichts mehr
Splendid AND Isolation
Doch doch, keine Sorge, I am happy
Als das so weit mit mir war

Da hörte ich meinen Namen
Alle Gesichter schwenkten
Zu mir herum: Sie aber haben
Ja noch so wenig geäußert
Wie stehen Sie denn zu den
Beiden favorisierten Projekten?
Wichtigtuend in meinen Papieren
Simulierte ich Kopfzerbrechen
Starkes Erwägen, schwieriges Entscheiden
Nachdenklich aussehen
Kann ich jederzeit
Für die Auskunft
»Ich bin noch unentschlossen«
Wußte ich aber keine
Verständliche Fremdsprache
Unser Projekt
Abschied
Stand im Weg, im Flur dort
Mon ami, don't go, Hotel Amigo
Der Lift hat die 4. Etage erreicht
Sagen Sie doch etwas
Bitte, wir möchten Ihre Meinung
Auf gar keinen Fall übergehen
Sondern hören, nehmen Sie
Welche Landessprache auch immer . . .
»Have you seen my wife, Mr. Jones?«
Mais je préfère
I suggest
Urgently: »Ich bin bei dir«
Ich will nach Haus rufen
»Nicht verlassen und versäumen«
Als dann keiner am Tisch mehr
Ein Wort von mir verstand.

Zwei Muscheln

Ich verstehe die Frau
Ihr Lamentieren
Jung? Nein. Aber mit
Einem Kindergesicht.
Diese Aufgeregtheit!
Die andern Mitreisenden
Finden diese Frau verrückt.
Zwei Muscheln waren es
Es sind zwei kleine
Muscheln gewesen
Sie müssen bestimmt
Hier irgendwo in diesem
Abteil liegen.
In ihren Manteltaschen
Hat die Frau von jetzt an
Wirklich nichts mehr zu finden.
Diese zwei Muscheln
Müssen vorhin auf den Boden
Gefallen sein.
Ich verstehe das:
An den Stiefelspitzen
Klebt noch etwas Seesand.
Passen Sie auf!
Flehen, das will sie ja nicht.
Bitte: Helfen Sie mir
Diese zwei kleinen Muscheln
Wiederzufinden!
Sie müssen mir aus der
Manteltasche gefallen sein
Ich hätte ein Abteil
Für mich ganz allein
Mieten sollen!

Die Frau sagt aber
Überhaupt nichts
Sieht nach Witwenart
Waisenkindschwach
Alleingelassen aus.
Ich bin es, die sich gut denken kann
Daß sie besorgt ist
Um die Spuren vom Strand
Ich habe die Frau
Beim Abschied von ihrem Mann
Gut genug beobachtet
Der Abschied begann schon
In Oostende, im JUPITER-Kneipchen
In einem Möwensturm
Als sie beide sehr lachen mußten
Beim Versuch
Ihr Lachen zu photographieren
Vorhin am Parkplatz
Die Trennung, dieser Lehrstoff
Ich nahm diesen
Ganz furchtbaren Unterricht
Bin das gewesen
Kleiner Bettlerfahrgast
Ungern, neugierig
Wie geht das: Verwindenkönnen?
Unverzüglich nach der Entfernung
Einer bestimmten Person, eine genügt –
Offenbart die übrige Welt
Jeder Gegenstand, jede
Beleuchtung, aller Leute
Angelegenheiten: Überflüssig
Zu nichts zu gebrauchen
Was zählt, sind jetzt nur noch
Zwei ganz und gar
Unscheinbare Strandgüter
Etwas Sand, zwei Muscheln

Das Quittungszettelchen
Vom JUPITER über zweimal
Crêpes und Espresso . . .
Also, wenn diese zwei
Muscheln sich nicht mehr
Auftreiben lassen
Rufe ich in Stellvertretung
Dann, weil diese Frau
Vor Abschiedsschwäche
Es nicht über sich bringt, dann
Werde ich es übernehmen
Die Notbremse ziehen
Einmal muß einer etwas
Einfach doch tun
Gegen dieses dauernde
Trennen und Aushalten
Vergehen – ich nahm mir vor
Aufzustehen, die Frau
Zu schütteln: Warum machen Sie
Das überhaupt, so viel
Wahnsinn, Ausflüge nach Oostende
Abschiede, Liebhaben, Aufsammeln
Von Muscheln – warum
Ängstigen Sie uns?

Das belgische Erbarmen

Und Belgien, schnell nach Belgien
Belgien wie immer wieder
Erlköniggleich dies Reisen
Braungrau geradeaus
Schätzenswert
Die Strecke, die Laternen
Das Wasserschloß, Schnee, Regen
Mit Glück vorbei am Glatteis
Die Grenze auch passiert
Der Vater mit dem Kinde
Das den Verstand verliert
Mein Liebstes, das bin ich
So winzig klein für dich.

★

Es lohnt sich, ach es lohnt sich
Dich so zu lieben, jetzt
Mit Brahms und Beatles und
Viel Belgien immer wieder
Geradeaus nach Westen
Meerwärts, wie spannend, Neugier
Das war der Hinweg, eben
War das ein Abschnitt Leben
Die Pfähle längs der Richtung
Die Richtung heißt Oostende
Wie weiß sind deine Hände
So bleib am Leben, Kind
Bis wir am Meer dort sind
Die Richtung heißt: das Meer
Wie belgisch grau und braun
Erlkönig-Väterchen

Da will ich wieder hin
Ich will den Hinweg spüren
Den Hinweg, immer Hinweg
Den wahren Platz zum Warten
Auf dich und mich, da vorne
Am Meerdamm das Café
Hörst du, sind das die Wellen
Ist das der Möwenschwarm
Wie Funken überm Feuer
Wie Aschenschnipsel grauschwarz
Ist das die Brandung, Liebstes
Das Salzwassergeflügel
Weißlich in braunen Wolken
Mein Väterchen am Steuer
Ein Anfall, ungeheuer
Von Liebesangst beim Kind
Was brüllt er so, der Wind
Ist das, mein Gutes
Nur ruhig, wir kommen an
Das Gartenheimweh, ruhig
Die Sonntagsfurcht, bleib wach
Und bleib am Leben, bald
Sind wir ja da, das Meer
Nochmals und immer wieder
Belgien ist nicht zu weit
Wir kehren hier jetzt ein
Verlaß mich nicht, zu zweit
Kann man sogar das Sterben
Es soll die Küste sein
Auf dem Laternenhinweg
Verwegen im Dezember
Der Sturm schickt mich wegabwärts
Wir wollen wieder spielen
Die Rettung, Vater – Kind
Den Erlkönig, Entrinnen –
Das Lieben, das Umarmen

Eng wie Geschwister sind
Und was wir noch ersinnen
Das belgische Erbarmen.

Die feindlichen Brüder

Der Beifahrer litt nun
Schon seit eineinhalb Stunden
Schöne alte
Schiffsstraße du,
Der Beifahrer nicht mehr jung
Hatte den Rhein
Lang nicht gesehen
Im Auto roch es nach ausgerechnet
Dieser einen speziellen Seife
Die er nicht ertragen konnte
Er bemühte sich
Zu nah beim Fahrer
Doch für sich zu sein
Meldete sich ab, in Ausschau
In Blicken: das furchtbar
Hohe Lebensalter
Wie gut es dem Fluß steht
Freundschaftlich vom Fluß
Blöde Gesellschaft hier im Auto
Helle Seifentöne, aber
Wie dunkel das Uraltsein
Den Fluß färbt
Wie überarbeitet sieht der
Fluß aus, Wasserweg
Alte kleine Wellen
Zum Meer hin, du Schiffsstraße
Du: diesmal hatte der Beifahrer
Laut gesprochen
Um den Fahrer nicht zu hören
Der Fahrer sagte etwas
Verächtliches über Trunkenbolde
Das meiste verstehe ich sowieso

Nicht, warnte der Beifahrer
Seinen Fahrer
Glauben Sie mir, der Rhein
Und ich
Wir zwei ältere Herrschaften
Uns können diese üblichen
Scherereien und
Geringschätzigkeiten
Kaum noch erbittern
Aber vor einem möchte ich
Sie warnen: vor übler
Nachrede
Gleichzeitig mit dieser
Seife! Der Beifahrer
Zögerte aber, hielt seine
Zurechtweisung plötzlich
Zurück, plötzliche
Freundschaftsstimmung:
Da oben rechts, erklärte
Der Beifahrer, sehen Sie
Da hinauf, das sind die
FEINDLICHEN BRÜDER
Sieht gut aus, mit all den
Spotlights, machen sie
Wirklich gut. Und stolz
Aufs Nachhauskommen
Fuhr der Fahrer jetzt endlich auch
Das standesgemäßere Tempo.

Die ältere Freundin

Warum umarmt mich
Meine ältere gutmütige Freundin
So mitleidig, was hat sie denn
Will sie haben – wir sehen uns
Ganz bald mal
Ganz allein, nur wir zwei . . .
Nachfragen! Nein-Sagen! Aber ich
Lasse mich einwickeln
Soll ich sie kränken?
Meine Liebe! Sie drückt an mir herum
Ohne Anlaß erschüttert
Warum blickt sie
Mir ausgerechnet in die Augen
Und mit so viel Nachdruck
So tröstlich, verdammt herzlich
Oh wie sie wünscht – was denn
Was ist denn los
Zu ihrem Kummer
Gar nichts
Nicht mit mir
Ich komme mir plötzlich
Derartig schwer verkäuflich vor
Ich müßte ihr einen
Notstand anbieten können . . .
Du besuchst uns bald
Beruhigt sie mich
Danke – ich antworte eingeschläfert
Will dort nicht hin
Gern habe ich meine
Ältere gutmütige Freundin,
Wenn es mir gut geht
Vermißt sie mich allen Ernstes

Ich bin der Typ
Für ein Mitleid
Eine Betroffenheit
Für ein Gespräch
Unter vier Augen
Abwinken, endlich
Ich komme gut
Zurecht mit dem Abschied.

Bis in die Fingerspitzen

Dieser Herr Eding
Er kann sich nichts abschlagen
Es ist für ihn unüberwindlich
Mit einem NEIN, mit LEIDER NICHT
Auf die Einzelstücke seiner Existenz zu stoßen:
Sie fragen, ob ich Klavier spiele?
Wissen Sie, als ich – lang her –
Bis zu den Goldberg-Variationen vordrang
– Um nur ein Beispiel zu nennen –
Da fielen mir Rubinstein ein
Brendel, Pogorelich (obwohl der sehr jung ist
Und Sie wissen, was hier für JUNG steht)
Herr Eding seufzt
Über problematische Naturen
Höchste Maßstäbe und daß er es andern
Überlassen muß, sich drüber hinwegzusetzen
Er gleicht sehr deutlich und oft
Den eng verschnürten Sonntagsbraten
Die seine Frau ihm nach der Art seiner Mutter
Serviert – wie, ob ich kochen kann?
Ich könnte, aber was mich abschreckt
Das ist ein Mangel an Qualität
Der Ausgangsprodukte, auch der Geräte
Ein ganz grundsätzlicher Charakter
Gedichte? Ich und Gedichte: ein langes Kapitel!
Wer hat nicht im Lauf seines Lebens
Gedichte geschrieben, doch das Gewissen
Kurz gesagt, ich war von Anfang an
Ein Leser, lese kaum noch, jetzt rede ich
Von Gegenwartsprodukten, Sie verstehen:
Homer und Vergil, die haben mich
Geprägt, Sie können es auch

VERDORBEN nennen, nicht für Goethe ...
Herr Eding trägt sehr enge Jacken
Futteralmäßiger Mensch
Erinnert an etwas Zusammengepacktes
Soll er zugeben
Daß dieses Ölbild
Dem Künstler gelungen ist?
Ich habe selber gemalt
Sagt er nachdenklich ergrimmt
Und bin, nachdem mir gewissermaßen
Von Rubens bis Cezanne alle in die Quere kamen,
In den wichtigsten Museen gewesen
Habe die Palette aus der Hand gelegt
Woraus Können sich also zusammensetzt
Aus wie viel Mißgeschick, großem Scheitern
Das weiß ich bis in meine Fingerspitzen hinein
Meine Iris ist getränkt
Seit Wochen übrigens mit Raffaels Madonnen
Sie behaupten, das hier sei Grau?
Aber wodurch entsteht, bildet sich denn Grau?
Das kulturelle Leben
Hat mich immer interessiert
Antwortet Herr Eding
Jemandem, für den ihm diesmal
Nicht sofort einfällt, was er an sein
JEDOCH
Fügen könnte.
Ratloses Herumschnüren
An enger Kleidung!

Das Aussterben der Dinosaurier

Ach, wie verstimmt war der alte Mann
Die Ex-Koryphäe, sehr naheliegend
Eines Tages seine Universität nach ihm
Zu benennen – so viel Unmut jetzt!
Noch immer legte er Wert
Auf gepflegte äußere Zustände
Sogar für die Nachrichten
Der Hausmantel
Er saß rechtzeitig da
Schal um den Hals
Leichte üble Empfindung des Unwürdigen
Doch er ließ sich
Auf die Vorführdame ein
Neugierige Skepsis angesichts
Ihrer Aufmachung
Diese Fernsehfrauen befremdeten ihn
Er fand problematisch
Daß er ihnen keinen Rat geben konnte
Und heute, die sehr hellblonde
Wie herablassend er sie fand
Als gehe es jetzt gleich
Um besonders possierliche Szenen
Aus der Welt der Tiere
Die Frau kündigte
Ihr Ausdruck, tantenhaft
Eine überaus ernstzunehmende Aktion an
Wahrscheinlich war es der Staub
Entsetzlich viel Staub
Durch den die Dinosaurier ausstarben
Der Professor erinnerte sich, er wurde
Immer ärgerlicher: Nichts als Alte
Auf dem Bildschirm

Grollte der Alte, er fand
Fernseh-Reporter könnten sich
Wenn schon Alte im Programm sein mußten
Bei der Auswahl mehr Mühe machen
Wie unerfreulich jede einzelne Person
Man könnte, mit etwas, mit nur etwas
Mehr Respekt, mehr Berufseifer
Auch ältere Frauen auftreiben
Die nicht
Diese Filztöpfe auf dem Kopf hatten!
Wie unerquicklich jeder einzelne
Müßiggang, Stadtbummel
Einkaufsselige mürrische Leute
Was für Mäntel, ein Pelzkragen
Wie der andere, und mitten
Im pauschalen Grollen ihrer
Teilnahme an der Gegenwart
Nahmen diese unkollegialen Gesichter
– Dem Professor entging nicht
Seine Zeitgenossenschaft, aber er
Fühlte sich so unähnlich –
Sie alle nahmen
Für den Burschen mit dem Mikrophon
Einen kindischen, geschmeichelten
Ausdruck an! Fühlten sich erhoben
Erkannten eine Chance!
Schwer zu mißbilligen!
Der emeritierte Mann,
Greis und Professor
Durchdachte später
In besserer Verfassung, als
Nichts ihn betraf, als
Er sich bei einem Film
Über unglücklich verlaufende Liebe
Konzentrierte auf sich selber –
Er konzipierte freihändig

Wie er sich vernehmlich machen würde
Nächste Woche – nach einer
Generalprobe im Rotary-Club –
Wenn ein Fernsehteam ihn
Belästigen würde . . . zu Zeitfragen
Schöner Wirrwarr
Den sie ihm antrügen
Aus dem üblichen Kauderwelsch
Zöge er gedankliche Stränge
Clarté! Oh, wie ihn nach
Klärungen verlangte
Und er assoziierte diesen vorzüglichen
Neuen Nasenspray, ähnliche Freiheiten
In der Stirnhöhle
Und wohltuend klar war jetzt
Außerdem, und höchst wesentlich:
Er trüge, für diesen Bildschirm da
Den dreiteiligen Anzug, mittelgrau,
Hemd mit hohem Kragen
Die goldene Uhrkette.

Kinderleben

Plötzlich tat er ihr leid:
Er ließ sie
Ein Kinderleben führen
Er hörte täglich
Ihre gleichen Fehler
Wenn sie
FREMDER MANN übte
KINDERSZENEN
Und zu Leuten
Die gern
Zu Besuch kämen
Sagen: Ich koche nur
Für Menschen, die mir
Beinah alles verzeihen.
Ihn machte sie dazu
Er aß ihre
Notmahlzeiten
Unterhielt sich manchmal
Mit ihr über schwierige
Hauptgerichte
Sie wußte nicht einmal
Wie man ein Anlieger ist!
Er sang jetzt geduldig mit
Hörte gefaßt auf
Weil sie wieder einen
Falschen Griff in die Tasten
Beschlossen hatte –
Schnell ging sie in die Küche
Etwas Extremes für ihn
War fällig . . .
Große Erleichterung
Erledigtes Haltbarkeitsdatum

Diese merkwürdigen QUENELLES
Schätzchen, wir müssen sie leider
Doch wegwerfen!

Verwunderung

Das traf sie hinterrücks
Glich einem Überfall:
Da rief ja
Von einer andern Stelle
Der Wohnung aus ihr Mann
Ihren Namen, ja: ihren!
Es gibt mich
Dachte sie
Ich kann gebraucht werden
Eine Straße benutzen
Wie alle andern
Ich komme in Träumen
Wahrscheinlich auch vor
Die Postbotin heute morgen
Hat mich gemeint
Der Nachbar wird
Bei jedem Versuch
GUTEN TAG sagen
Das Baby stößt einen Schrei aus
Ich schau in seinen Wagen
Das könnte meine
Mögliche Todesursache sein:
(Wenn ich also wirklich nach
Den allgemein geltenden Gesetzen
Jemand bin)
Verwunderung, Grund zu sterben
Vor Verwunderung
Daß ich lebe . . .
Sie fürchtete sich,
Lief zu ihrem Mann
Probierte Anlächeln aus
Und weil er tatsächlich

Reagierte, also: lächelte
Freute sie sich, lebte
Bändigte ihr Erstaunen.

Waldrettung

Nie gut genug gekonnt:
NEIN sagen wenn es Zeit ist
So lang sie lebte, folglich
Sehr lang war sie schon taktvoll.
Jetzt raffte sie sich auf
Sie sprach zu andern Alten:
Wir kommen ja nie hin
Was soll ich noch mit Wald
Benutze ihn nicht mehr . . .

★

Die Freundinnen, die alten
Empört und aufgeregt:
Die Jungen brauchen uns
Die Zukunft des Planeten
Die Enkelchen, die Vöglein
Und Blumen, soll das sterben?

★

Sie aber spürte Kränkung
Verrentet und in Ruhe
Wie alle andern wollte
Sie jung sein, rebellieren
Dummköpfe, diese Menschen
Das blöde Ruinieren
Es muß ja um sich greifen
Was geht der Wald mich an?
Mir war der kranke Baum
Gefällt vom Heimverwalter
Im Innenhof so teuer
Kein Laub mehr, alte Knochen.

★

Du siehst ihn doch vom Bus aus
Den Wald, mahnt die Frau Homberg
Komm, unterschreibe schleunigst
Die Jungen mögen uns ...
Mich sollen sie mal hassen
Denkt jetzt die alte Dame
Verachten, mich erkennen
Vielleicht wie Wald, der stirbt
Dann nehmen sie mich wahr
In Schutz auch, tun was, endlich
Wogegen denn, ich weiß nicht –
Für mich und Überleben ...
Es muß, es muß doch dringend
Im Himmel Wälder geben.

Sentimental Journey

Da täuschen Sie sich sehr
Sie sind im Irrtum, leider
Muß ich Sie dringend bitten
Sich schnell davonzumachen
Wie meinen Sie? Ach töricht
Sie kennen sich nicht aus
Wir machen jeden Abend
Und oft die Nacht durch auch
Das Herr-und-Diener-Spiel
Ungern, im Ernst, verrate
Ich fremden Menschen uns
Den dort und mich, ich spiele
Klavier, er, der mein Herr ist
Hört
Mir zu, auch wenn er einschläft
Man sieht ja, ich serviere
Ihm zwischen Swing und Tango
Weißwein, auch Wasser, stilvoll
Und britisch, Kolonialzeit
Geht es bei uns zu abends
Und oft die Nacht durch, wirklich
Ich möchte Sie jetzt bitten, rasch
Von diesem Sofa dort
Ja sehr rasch zu verschwinden
Er schläft oft fest, mein Spiel
Auf dem Pianoforte
– So sagen wir, ganz recht! –
Dient der Entspannung, früher
War ich in Bars, Hotels
Und Kaffeehäusern tätig
Mein Herr ein Offizier
In Indien oder sonstwo

Bei Whisky-Soda, Wein
Trinkt er in unsern Breiten
Verstanden, daß er schläft
Und Ruhe braucht? Ich bitte
Sie abzutreten, Nachbarn
Mein Herr und ich, wir sind
Von anderem Kaliber
Ich muß jetzt weiter spielen
Er liebt es so, Musik
Die Oldies, schläfern ein
Auch SENTIMENTAL JOURNEY
Wie bitte? Er ist tot?
Er lebt nicht mehr? Seit Stunden?
Das haben Sie gesagt, denn ich
Sein Diener, ich nur kenne ihn
Und habe ihm schon manchen
Tiefen Schlaf erfunden.

Damit das klar ist

Oh ja, Sie haben recht
Es wird mir auch zu viel
Und doch besteh ich drauf
Wir spielen jeden Abend
Das Stückchen Kind und Vater
Und Chopin-Wettbewerb
Sie übt, macht keinen Fortschritt
Doch nur aus Eifer, Neugier
Was wächst, das ist für mich
Ihr Repertoire, ich pfeife
An manchen Stellen mit
Sie freut sich, macht mehr Fehler
Bevorzugt Moll-Tonarten
Ich klatsche, sie verbeugt sich
Gewiß, Sie haben recht
Das strengt uns an, uns beide
Anstrengen muß es aber
Damit das klar ist, Liebe
Was wir da täglich haben
Sehr spät am Abend, Nacht
Ist's schon, wenn sie mich fragt
Genug? Nein, bitte nicht
Zugaben!
Die Arabeske fehlt und hast du
Denn deine Fingerübungen von Czerny
Diesmal auch brav gemacht?

Inhalt

Gabriele Wohmann wurde 1932 in Darmstadt geboren. Nach dem Abitur Studium der Literatur. 1953 Heirat. Ein Jahr lang Internatslehrerin auf einer Nordseeinsel. Erste Prosa-Arbeiten Ende 1956. Mitglied des PEN-Clubs, der Akademie der Künste in Berlin und der Akademie für Sprache und Dichtung in Darmstadt. 1967/68 Villa-Massimo-Stipendium. 1971 Bremer Literaturpreis. 1980 Bundesverdienstkreuz 1. Klasse. 1981 Deutscher Schallplattenpreis.
Bei Luchterhand sind erschienen: Ernste Absicht, Roman; Gegenangriff, Prosa (SL 55); Entziehung (SL 152); Paulinchen war allein zu Haus, Roman (SL 219); Ländliches Fest, Erzählungen (SL 204); Schönes Gehege, Roman; Ausflug mit der Mutter, Roman (SL 213); Grund zur Aufregung, Gedichte; Frühherbst in Badenweiler, Roman; Paarlauf, Erzählungen (SL 360); Ausgewählte Erzählungen aus zwanzig Jahren, 2 Bände (SL 296 und 297); Meine Lektüre, Aufsätze über Bücher (SL 309); Ach wie gut, daß niemand weiß, Roman; Komm lieber Mai, Gedichte; Jetzt und nie (SL 385); Einsamkeit, Erzählungen; Der kürzeste Tag des Jahres, Erzählungen (SL 531); Ausgewählte Gedichte (SL 437); Das Glücksspiel (SL 459); Verliebt, oder?, Erzählungen (SL 485); außerdem liegt vor: Gabriele Wohmann: Auskunft für Leser, herausgegeben von Klaus Siblewski (SL 418).